C0-ALM-097

어린이 처음 인문학

그림으로 보는 그리스 로마 신화 2

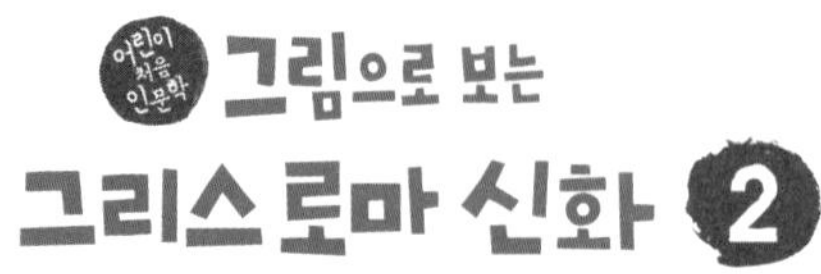

초판 1쇄 발행 2016년 8월 31일
초판 23쇄 발행 2021년 5월 10일

글 스카이엠 | **그림** 김영진 | **컬러** 일러스툰

발행인 오형석
편집장 이미현 | **편집** 정은혜 | **디자인** 이희승
발행처 (주)계림북스
신고번호 제2012-000204호 | **등록일자** 2000년 5월 22일
주소 서울시 마포구 창전로 74 여촌빌딩 3층
대표전화 (02)7079-900 | **팩스** (02)7079-956
도서문의 (02)7079-913
홈페이지 www.kyelimbook.com

이 도서의 국립중앙도서관 출판시도서목록(CIP)은 서지정보유통지원시스템 홈페이지(http://seoji.nl.go.kr)와 국가자료공동목록시스템(http://www.nl.go.kr/kolisnet)에서 이용하실 수 있습니다.
(CIP제어번호: CIP2016015547)

글 스카이엠 | 그림 김영진

계림북스
kyelimbooks

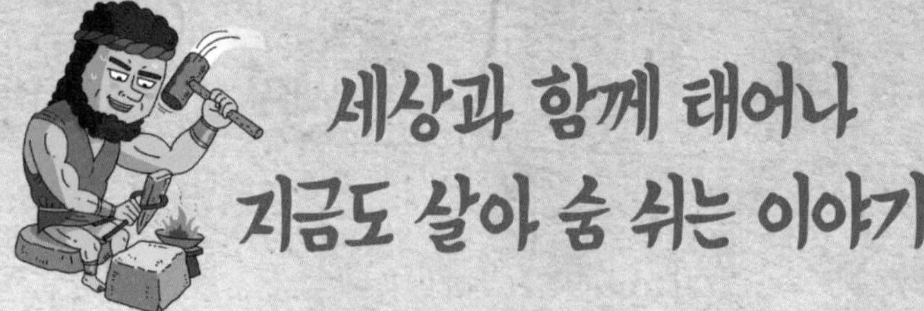

세상과 함께 태어나 지금도 살아 숨 쉬는 이야기

여러분은 신을 믿나요? 사람의 힘으로 해결하지 못하는 문제가 생겼을 때, 우리는 신에게 매달립니다. 오랜 옛날부터 사람들은 신에게 의지하며 살아왔지요.

지금처럼 과학이 발달하지 않았던 시절, 세상은 두려움으로 가득했어요. 파도가 덮치고, 화산이 폭발하고, 번개가 내리치는 모습이 얼마나 무서웠을까요?

사람들은 지혜와 상상력으로 무시무시한 공포를 이겨 냈어요. 번개를 던지는 제우스, 파도를 일으키는 포세이돈, 인간을 위해 불을 훔친 프로메테우스를 상상하며 온갖 두려움을 떨쳤지요.

'그리스 로마 신화'는 전 세계적으로 널리 알려진 이야기예요. 철학, 역사, 예술 등 모든 학문의 뿌리이기에 세상을 이해하는 데 큰 도움이 되지요.

그래서 신화는 케케묵은 옛날이야기가 아니라, 살아 숨 쉬는 지금 이 순간의 이야기랍니다.

인간을 꼭 닮은 신의 모습은 우리에게 많은 것을 가르쳐 줍니다. 서로의 마음을 이해하며 세상을 살아갈 특별한 힘을 주지요. 특히, 사람에 대해 고민하고 더 나은 삶으로 향하는 '인문학'을 배울 수 있어요. 고대 로마의 철학자 키케로는 "인문학은 삶을 풍요롭게 하고, 마음에 평화를 가져다 준다."라고 말했어요.

신화 속 매력 넘치는 개성 만점 신들을 만나면, 사람과 세상을 사랑하는 마음이 절로 생겨날 거예요. 지금부터 신들의 이야기 속으로 여행을 떠나 볼까요?

스카이엠

올림포스의 태양, 아폴론

올림포스의 맞수

올림포스의 다양한 신들

인간의 탄생과 멸망

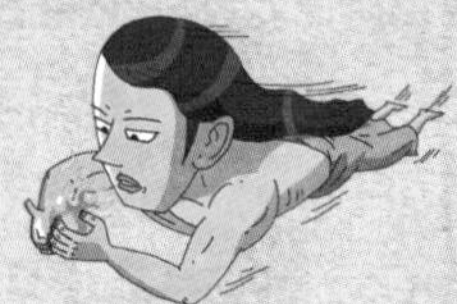

인간과 함께한 신들

하늘에서 가장 눈부시게 빛나는 것은 무엇일까요? 단 하루라도 뜨지 않으면 안 되는 중요한 존재, 태양이에요. 아폴론은 그 태양을 꼭 닮은 신이랍니다. 아름다운 외모와 수많은 능력을 가지고 있어 올림포스 최고의 인기 신이지요. 하지만 큰 상처와 아픔을 갖고 있기도 했어요. 자, 지금부터 태양 신 아폴론의 이야기를 들어 볼까요?

올림포스의 태양,
아폴론

말도 많고 탈도 많은, 아폴론의 성장기

아기를 태어나지 못하게 하라!

아폴론의 아버지는 신들의 왕 제우스예요. 어머니는 티탄의 여신 레토랍니다. 제우스는 아내인 헤라 몰래 레토와 만났어요. 레토가 쌍둥이를 임신하자 헤라는 불같이 화를 냈어요. 게다가 불안한 예언까지 들었지요. 쌍둥이가 태어나면 제우스 다음으로 큰 힘을 갖게 된다는 거예요. 헤라는 레토가 절대 아기를 낳지 못하게 하기로 했어요.

아기가 태어날 때가 되었지만, 레토는 적당한 곳을 찾지 못했어요. 헤라가 무서워 아무도 자리를 내주지 않았기 때문이에요. 다행히 포세이돈의 도움으로 레토는 작은 섬에 도착했어요. 그러자 헤라가 출산의 여신을 붙잡아 두었어요. 레토는 9일 동안이나 아기를 낳지 못하고 괴로워했어요. 보다 못한 제우스가 출산의 여신을 비둘기로 변신시켜 레토를 돕도록 했어요. 레토가 드디어 쌍둥이를 낳았어요. 이렇게 힘겹게 태어난 쌍둥이가 바로 아폴론과 아르테미스 남매랍니다.

우리 어머니를
괴롭혔겠다?
활 맛 좀 봐라!

델포이 아폴론 신전

아폴론이 왕뱀 '피톤'을 무찔렀어요

아폴론은 태어난 지 며칠 만에 늠름한 청년으로 자랐어요.
제우스는 아폴론에게 올림포스의 열두 신만 앉을 수 있는 황금의자를 주었어요. 또 수많은 능력과 마차, 화살, 악기까지 듬뿍 선물했지요.
아폴론은 아버지가 준 화살을 들고 델포이 신전으로 갔어요.
그곳에는 어머니인 레토를 괴롭혔던 거대한 왕뱀 '피톤'이 살고 있었어요. 아폴론은 어머니의 복수를 하고 싶었어요.
피톤은 자신보다 작은 아폴론을 우습게 봤어요.

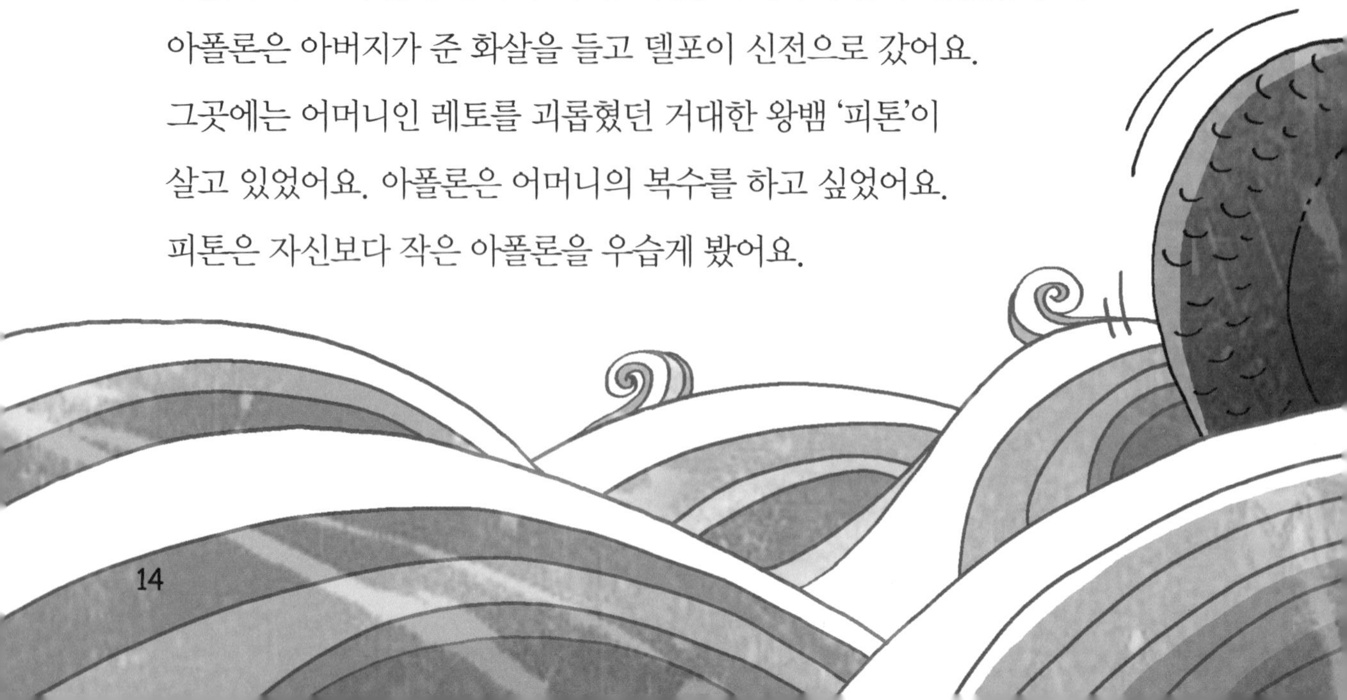

하지만 아폴론이 쏜 화살을 맞고 그대로 쓰러지고 말았지요. 아폴론은 피톤의 껍질을 벗겨 불태우고 델포이 신전을 차지했어요. 아폴론은 어머니의 복수에 성공했지만, 마음 한쪽이 편치 않았어요. 피톤이 대지의 여신 가이아의 아들이었기 때문이에요. 아폴론은 가이아가 화를 낼까 두려워 피톤을 위로해 주는 축제를 열었어요. 이 축제는 피톤의 이름을 따 '피티아'라고 불렀어요. 훗날 피티아는 아폴론을 대신한 예언가의 이름으로 불리기도 했어요.

아폴론의 아들, 아스클레피오스

아폴론은 병든 사람을 치료하는 신이기도 해요. 이 능력을 아들인 아스클레피오스가 이어받았지요. 아스클레피오스는 태어나자마자 어머니를 잃고 산속에서 홀로 살았어요. 아기는 산양 젖을 먹으며 자랐지요. 어느 날, 숲을 지나던 목동이 눈부신 빛이 뿜어져 나오는 아기를 발견하고 서둘러 신들에게 알렸어요. 곧 아기는 아폴론의 아들인 것으로 밝혀졌지요. 아폴론은 아기에게 자비롭다는 뜻으로 '아스클레피오스'라는 이름을 지어 주었어요. 아스클레피오스는 아폴론에게 약을 만들고 치료하는 기술을 배웠어요. 그에게는 두 개의 약병이 있었어요. 하나는 죽은 사람을 살리는 약이, 다른 하나는 목숨을 빼앗는 약이 들어 있었어요.

그는 사람을 살리는 약으로 수많은 생명을 구했어요. 이름처럼 자비로운 신이었지요. 아스클레피오스의 두 아들 역시 의술을 배워 사람들을 치료해 주었답니다.

꽃미남 능력자, 아폴론

태양마차를 타고 하늘로!

태양의 신 아폴론은 빛나는 태양만큼이나 얼굴도 정말 잘생겼어요. 올림포스에서 가장 멋있는 신으로 소문이 자자했지요. 게다가 정의로운 성격에, 다른 신들과 비교가 안 될 정도로 다양한 능력을 가지고 있었어요. 미래를 예언하고, 화살을 쏘고, 병을 고치며, 음악까지 연주할 수 있었지요. 그래서 신들은 물론, 인간들에게도 인기가 많았어요.

아폴론은 황금으로 만든 태양마차를 타고 다녔어요.

의자는 물론 바퀴까지 황금으로 만들어져 번쩍번쩍 눈부셨지요. 태양마차는 불을 뿜는 네 마리의 사나운 말이 몰았어요. 아폴론은 그 말들을 아주 잘 다루었지요. 태양마차를 타고 하늘에 오르면 세상이 환하게 밝아지면서 아침이 되었고, 내려오면 세상이 다시 어두워져 밤이 되었어요. 태양마차는 정해진 길로만 다녔는데, 그 길을 오직 아폴론만 알고 있었답니다.

델포이 신전에서 미래를 예언했어요

옛날 그리스 인들은 미래가 궁금할 때마다 델포이 신전으로 갔어요. 그곳은 아폴론이 왕뱀 피톤을 물리치고 차지한 신전이에요. 아폴론은 이곳에서 미래를 예언했어요. 하지만 아폴론이 늘 델포이 신전에 있던 게 아니었기 때문에 '피티아'라는 예언가가 아폴론 대신 신탁을 내리기도 했어요. 신탁이란 신을 대신해 말하는 거예요. 사람들은 정성껏 준비한 재물을 바치고, 피티아의 말에 귀를 기울였어요. 델포이 신전은 언제나 미래를 궁금해하는 사람들로 가득했지요. 평민부터 왕에 이르기까지 신분도 다양했어요. 그중에는 그리스의 철학자, 소크라테스도 있었어요. 이처럼 유명한 철학자마저 지혜를 빌릴 정도로 아폴론의 예언은 유명했답니다.

우선 눈부터
낮추라고 해~
아폴론 님께서
말씀하시길, 오르지
못할 나무는 쳐다도
보지 말라고
하시는군요.
제 이상형은
아폴론 님 같은
분이에요~
우리 딸은 언제
결혼할 수
있을까요?

아들을 잃은 아폴론의 슬픔

아폴론의 아들 아스클레피오스는 죽은 사람을 살리는 능력이 있었어요. 올림포스의 신들은 그 능력이 무척 못마땅했지요. 정해진 운명을 거스르게 하는 능력이었으니까요. 특히 죽음의 신 하데스는 아스클레피오스가 미웠어요. 그래서 제우스를 찾아가 그를 없애달라고 부탁했지요. 결국 제우스는 벼락을 내려 아스클레피오스의 목숨을 빼앗았어요.

아들을 잃은 아폴론은 복수를 하기로 마음먹었어요.
그래서 제우스에게 벼락을 만들어 준 괴물 형제 키클롭스를 죽였어요.
그 죄로 1년 동안 인간인 아드메토스 왕의 하인이 되는 벌을 받았어요.
신이 인간의 하인이 되는 것은 너무나 창피했지만 아폴론은 묵묵히
왕의 양과 소들을 돌보았어요. 그는 1년 동안 성실히 일한 뒤,
용서를 받고 신전으로 다시 돌아갔어요.

아폴론과 마르시아스의 연주 대결

올림포스 신들 중 리라를 가장 잘 연주한 신은 누구일까요? 바로 아폴론이에요. 그는 음악의 신이기도 해요. 리라는 오늘날의 하프처럼 생긴 악기예요. 아폴론의 뛰어난 리라 솜씨는 그 누구도 이기지 못했답니다. 그런데 감히 아폴론과 연주 대결을 하고 싶다는 요정이 나타났어요. 이 용감한 요정의 이름은 마르시아스였어요. 마르시아스는 피리를 아주 잘 불었어요. 그가 피리를 불면 숲속의 모든 요정이 감동해 눈물을 흘렸지요.

아폴론과 마르시아스가 대결한다는 소문에
신과 요정들이 모두 모여들었어요. 마르시아스가 먼저 피리를 불고,
뒤이어 아폴론이 리라를 연주했지요. 두 연주 모두 훌륭했기 때문에
승부를 가리기가 어려웠어요. 그러자 아폴론이 꾀를 냈어요.
이번에는 악기를 거꾸로 쥐고 연주하자고 한 거예요. 리라는 거꾸로도
연주할 수 있지만, 피리는 거꾸로 불면 소리가 나지 않아요. 꾀에 넘어간
마르시아스는 대결에서 지고 말았어요. 그는 신에게 도전한 대가로,
거꾸로 매달려 죽고 말았답니다.

달을 찾아 떠난 아폴로 11호

‘아폴로 11호’는 처음으로 달에 도착한 우주선 이름이에요. 아폴로 우주선은 달에 갔다가 무사히 지구로 돌아와야 하는 임무를 가지고 있었어요. 아폴로 우주선이 처음부터 쉽게 달에 갈 수 있었던 건 아니에요. 아폴로 1호부터 아폴로 10호까지 몇 번이나 도전한 끝에 겨우 달에 도착했지요. 우주선의 이름은 태양의 신 아폴론의 이름을 따서 지었어요. 힘들게 태어나 태양과 별을 다스리게 된 아폴론처럼 아폴로 우주선도 많은 노력 끝에 달에 도착하기를 바라는 마음으로 지은 거예요.

아폴로 11호가 역사의 한 획을 그었어!

우주선도 아폴론 님의 이름을 썼구나. 예나 지금이나 아폴론 님의 인기는 짱이야!

1969년 7월 20일, 전 세계 사람들이 텔레비전 앞에 모였어요.
아폴로 11호가 달에 닿는 순간을 지켜보기 위해서였죠.
모두 가슴을 두근거리며 아폴로 11호를 응원했어요.
모두가 숨죽이는 가운데, 아폴로 11호의 선장 '닐 암스트롱'이 마침내
달에 도착했어요. 인류의 역사를 바꿀 위대한 첫 발자국이었어요. 이때
인간은 처음으로 지구가 아닌 다른 별에 가 보았답니다. 아폴로 11호 이후,
아폴로 17호까지 모두 여섯 번이나 달에 가게 되었어요.
아폴로 11호가 우주의 비밀을 푸는 첫 번째 열쇠였던 셈이지요.

아폴론의 이루어질 수 없는 사랑

아폴론의 첫사랑, 다프네

요정 다프네는 아폴론의 첫사랑이에요. 사실 아폴론이 다프네에게 첫눈에 반한 것은 우연이 아니었어요. 어느 날, 아폴론이 사랑의 신 에로스가 화살을 가지고 노는 것을 보았어요. 활과 화살의 신인 아폴론의 눈에 에로스의 화살은 장난감 같았지요. 그래서 에로스를 놀렸답니다. 화가 난 에로스가 아폴론을 골탕 먹이기로 했어요. 아폴론에게는 사랑에 빠지는 금 화살을, 다프네에게는 사랑을 거부하는 납 화살을 쏜 거예요.

아폴론은 다프네를 보자마자 사랑에 빠졌어요. 그 반대로 다프네는 아폴론을 끔찍이 싫어했지요. 다프네는 아폴론이 다가올수록 더 멀리 달아났어요. 하지만 끝까지 쫓아오는 아폴론을 이길 수 없었지요. 그래서 물의 신인 아버지에게 도와달라고 소리쳤어요. 그 순간 다프네의 몸이 나무껍질로 뒤덮였어요. 머리카락은 나뭇잎이, 두 팔은 나뭇가지가 되었지요. 결국 다프네는 한 그루의 월계수로 변해 버렸어요. 아폴론은 슬픔을 참으며 그녀를 영원히 기억하기 위해 나뭇잎으로 월계관을 만들었답니다.

제피로스의 질투를 부른 히아킨토스

히아킨토스는 아폴론의 사랑을 듬뿍 받은 소년이에요. 아폴론과 히아킨토스는 사냥을 가거나 낚시와 소풍을 갈 때도 늘 함께였지요. 아폴론은 히아킨토스에게 푹 빠져, 그토록 소중히 여기던 리라와 화살마저 팽개쳤어요. 소년과 노는 것이 가장 즐거웠지요. 그러나 히아킨토스를 사랑한 신은 아폴론만이 아니었어요. 서쪽 바람의 신 제피로스도 소년을 사랑했지요. 그런데 늘 아폴론하고만 붙어 다니자 질투가 났어요. 제피로스는 둘 사이를 갈라놓을 기회만 엿보았어요.

어느 날, 아폴론과 히아킨토스가 원반던지기를 하고 있었어요. 히아킨토스가 아폴론이 던진 원반을 잡으러 달려갔지요. 바로 그때, 땅으로 떨어지던 원반이 갑자기 튀어 올랐어요. 히아킨토스는 그 원반에 맞고 쓰러졌어요. 제피로스가 바람으로 원반 방향을 바꾼 탓이지요. 그렇게 히아킨토스는 세상을 떠났어요. 아폴론은 자기 탓이라며 하염없이 눈물을 흘렸어요. 아폴론은 히아킨토스가 흘린 피로 붉은 꽃을 만들어 주었어요. 그 꽃은 슬픈 운명을 가진 히아킨토스의 이름을 따, '히아신스'라고 불렀어요.

콧대 높은 공주, 카산드라

카산드라는 트로이 왕국의 공주예요. 아폴론은 아름다운 카산드라에게 반해 청혼했어요. 하지만 도도한 카산드라는 아폴론의 마음을 받아 주지 않았지요. 아폴론은 어떻게든 카산드라의 마음을 얻고 싶었어요. 그래서 자신의 예언 능력을 카산드라에게 선물했지요. 카산드라는 특별한 능력이 생기자 무척 기뻤어요. 사람들에게 새로 생긴 능력을 맘껏 자랑하며 다녔지요. 하지만 아폴론의 청혼은 끝까지 거절했어요.

아폴론은 카산드라가 계속 거절하자, 그녀가 싫어졌어요. 그래서 그녀에게 저주를 내리기로 했어요. 아폴론은 카산드라에게서 사람을 설득하는 능력을 빼앗아 버렸어요. 그 뒤, 카산드라가 아무리 예언을 해도 설득 능력이 없기 때문에 아무도 믿지 않았어요. 카산드라는 "트로이 왕국에 큰 전쟁이 일어나 많은 사람이 죽게 된다."라고 예언했어요. 하지만 왕과 왕비조차 그 말을 무시했어요. 결국 전쟁이 일어났고 크게 지고 말았답니다.

태양 신의 아들, 파에톤

아버지를 찾아 떠났어요

파에톤은 아폴론과 님프 클리메네 사이에서 태어났어요. 하지만 파에톤은 아버지를 한 번도 본 적이 없어 늘 외롭고 쓸쓸했지요. 파에톤은 친구들에게 아버지가 태양의 신 아폴론이라고 자랑했지만 아무도 믿지 않았어요. 파에톤은 자신이 아폴론의 아들이라는 사실을 세상에 알리고 싶었어요. 그래서 아폴론이 있는 궁전으로 무작정 찾아갔어요.

파에톤은 며칠 동안 걷고 또 걸어 아폴론의 궁전에 도착했어요. 하인이 파에톤을 아폴론에게 데려다주었어요. 아폴론을 만난 파에톤은 떨리는 목소리로 어머니의 이름을 말하며 자신을 소개했어요. 아폴론이 깜짝 놀라 의자에서 벌떡 일어났어요. 그는 먼 길을 찾아온 아들을 반갑게 맞았어요. 난생 처음 아버지를 만난 파에톤은 가슴이 터질 듯 쿵쾅거렸어요.

아버지, 태양마차를 타고 싶어요!

아폴론은 파에톤에게 원하는 것을 무엇이든 들어주겠다고 약속했어요. 파에톤이 눈을 반짝이며 소원을 말했어요. 그 소원은 바로 아폴론의 태양마차를 타는 것이었어요. 파에톤은 자신을 무시했던 친구들에게 태양마차를 탄 모습을 보여 주고 싶었어요. 아폴론은 그것만은 안 된다고 했어요. 태양마차는 너무나 위험해서 아무나 몰 수 없었어요. 자칫하면 목숨을 잃을 수도 있었지요.

야호!
이제 내 세상이다.
태양마차야,
가자, 어서 가자!

힝

랴핫

쓩

파에톤은 끈질기게 고집을 부렸고, 아폴론은 끝내 아들의 소원을 들어주기로 했어요. 대신 절대로 고삐를 놓지 말라고 몇 번이고 말했어요. 또 정해진 길로만 가야 한다고 했지요. 태양마차가 너무 높게 오르면 신들의 집이 불타고 너무 낮으면 땅이 불타기 때문이지요. 태양마차에 올라탄 파에톤은 너무 신이 났어요. 태양마차는 단숨에 하늘을 넘어 우주로 날아갔답니다.

세상이 불바다가 되었어요

파에톤은 태양마차를 모는 게 너무 어려웠어요. 게다가 말들이 주인이 바뀐 것을 눈치채고 제멋대로 달리기 시작해 태양마차가 이리저리 흔들렸지요. 결국 파에톤은 고삐를 놓쳤고 태양마차는 길을 잃고 별들에 쾅쾅 부딪혔어요. 태양마차는 우주의 별들을 불태우고 땅으로 떨어졌어요. 온 세상이 불바다가 되었어요. 태양마차 때문에 산과 바다가 모두 불에 탔지요. 파에톤은 발을 동동 굴렀지만 태양마차를 멈출 수 없었어요.

불바다가 된 세상을 본 제우스가 서둘러 번개를 던지자, 태양마차가 산산이 부서졌지요. 파에톤은 힘없이 땅으로 떨어져 목숨을 잃었어요. 아폴론은 죽은 아들을 끌어안은 채 하염없이 눈물만 흘렸어요. 그 뒤, 대장장이 신 헤파이스토스가 태양마차를 다시 만들어 주었어요. 아폴론은 두 번 다시 그 누구에게도 태양마차를 빌려 주지 않았답니다.

태양마차는 어느 별자리를 지나갔을까요?

파에톤은 아폴론이 말렸지만 끝까지 고집을 부려 태양마차를 탔어요. 그리고 엄청난 사고를 저지르고 말았지요. 밤하늘에 빛나던 별들을 불태워 버린 거예요. 아마 별들도 불길을 뿜으며 달려드는 태양마차를 보고 깜짝 놀랐을 거예요. 태양마차가 가장 먼저 불태운 별자리는 큰곰자리와 작은곰자리예요. 난데없는 공격에 엄마 곰과 새끼 곰이 새까맣게 불타 버렸지요. 두려움에 떨던 파에톤이 정신을 차리고 다시 고삐를 잡았을 때였어요.

엄마,
이상한 게
오고 있어요!

작은곰자리

아가야,
어서 피하거라!
태양마차에 닿으면
타 버릴 거야!

큰곰자리

또 한 번 공포가 밀려왔어요. 무시무시한 괴물 별자리들 때문이었어요. 특히 전갈자리는 날카로운 발톱으로 파에톤을 위협했어요. 번뜩이는 꼬리 끝 독침으로 공격할 것만 같았죠. 전갈자리를 보고 겁먹은 파에톤이 또다시 고삐를 놓치고 말았어요. 그렇게 태양마차는 한바탕 소동을 일으킨 뒤에야 땅으로 떨어졌어요. 태양마차가 땅에 떨어지자 산이 타고 물이 말라 사막이 되어 버렸어요. 사람들의 피부도 까맣게 타 버렸답니다.

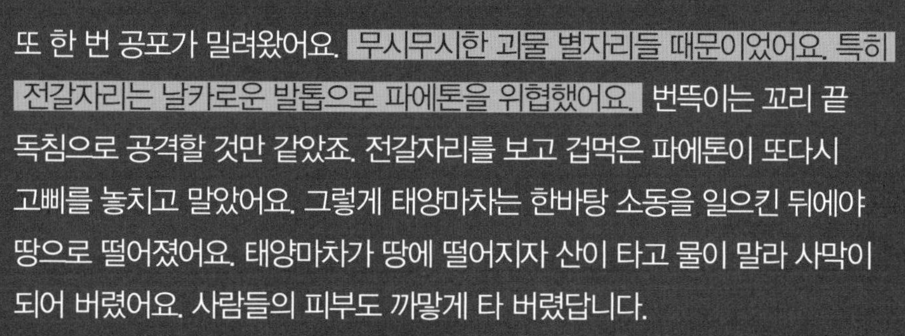

신화
놀이터
아폴론은 네 마리의 말이 끄는 태양마차를 타고
하늘을 누볐어요. 태양마차가 하늘에 오르면
환한 아침이 되고, 내려오면 밤이 되었지요.
다음 그림을 보고 숨은 그림 다섯 개를 찾아보세요.
숨은 그림: 물고기, 삼각자, 연필, 깃발, 백조

신들도 인간과 마찬가지로 좋아하는 것, 싫어하는 것이 각각 달랐어요. 단짝 친구처럼 마음이 잘 맞는 신들이 있는가 하면, 마주치기만 해도 으르렁대는 신들도 있었지요. 전쟁의 신들끼리 싸우거나 힘이 센 신과 머리 좋은 신이 대결을 벌이기도 하고, 가장 아름다운 신과 가장 못생긴 신이 결혼하기도 했지요.

다르기 때문에 더 재미있는 신들의 세계를 만나 볼까요?

올림포스의 말수

전쟁의 여신 아테나

제우스의 머리에서 태어났어요

아테나 여신이 태어난 이야기는 신기하고도 재미있어요. 아테나의 어머니는 지혜의 여신 메티스, 아버지는 제우스예요. 메티스가 아기를 갖자 불길한 예언이 들려왔어요. 그 아기가 훗날 왕의 자리를 빼앗는다는 것이에요. 그러자 제우스가 임신한 메티스를 통째로 삼켜 버렸어요. 그 뒤, 제우스는 끔찍한 두통에 시달렸어요. 참다못해 대장장이 신 헤파이스토스를 불렀지요. 그가 도끼로 제우스의 머리를 여는 순간, 투구를 쓰고 갑옷을 입은 아테나가 튀어나왔어요. 아테나는 제우스의 머릿속에서 무럭무럭 자라 다 큰 어른으로 태어난 거예요.

영원히 혼자 살겠습니다

아테나는 태어나자마자 이승과 저승을 가로질러 흐르는 스틱스 강으로 갔어요. 스틱스 강은 신들이 중요한 맹세를 할 때 찾는 곳이에요. 이곳에서 한 맹세는 그 어떤 신이라도 함부로 깨지 못할 정도로 강하고 엄격했지요. 아테나는 그곳에서 몸을 씻은 뒤 영원히 처녀로 살겠다고 맹세했어요.

그 맹세대로, 아테나는 평생 혼자 살았어요.

아테나는 늘 혼자 있는 걸 좋아했고 목욕도 깊은 숲에 들어가 했답니다.

예언 능력을 선물로 주었어요

어느 날, 아테나가 목욕을 하고 있을 때였어요. 사냥을 나온 테이레시아스가 우연히 그 모습을 보고 말았어요. 아테나는 부끄럽고 화가 난 나머지, 테이레시아스의 눈을 멀게 했어요. 그의 어머니 카리클로는 아테나를 찾아가 용서를 빌며 앞을 보게 해 달라고 부탁했어요.

아테나는 자신의 행동이 지나쳤다고 생각했어요. 하지만 이미 멀게 한 눈을 되돌릴 방법이 없었어요. 아테나는 미안한 마음에 테이레시아스에게 긴 수명과 미래를 보는 예언 능력을 주었지요. 테이레시아스는 신과 사람의 미래를 예언하며 오래오래 살았답니다.

아테나가 사랑한 도시, 아테네

그리스의 수도는 어디일까요? 아테나와 이름이 비슷한 '아테네'랍니다. 아테네의 원래 이름은 '아티카'였어요. 아테나는 이 도시가 무척 마음에 들었어요. 그런데 아티카를 욕심내는 신이 또 있었어요. 바로 바다의 신 포세이돈이었죠. 아테나는 포세이돈과의 대결에서 이겨 아티카를 차지했어요. 아티카 사람들은 아테나를 무척 사랑해서 도시 이름도 '아테나 여신의 도시'라는 뜻으로 '아테네'라고 바꾸었어요. 아테나는 아테네를 무척 소중하게 여겼어요. 그래서 사람들에게 자신이 가진 지식을 골고루 나누어 주었지요.

남자들에게는 농사짓는 방법과 물고기를 잡을 수 있게 배를 모는 기술을 알려 주었어요. 여자들에게는 실을 뽑는 방법과 바느질을 가르쳐 옷을 만들어 입도록 했고요. 그뿐 아니라 법, 예술, 문학, 철학 등을 가르치고, 두 바퀴가 달린 전차와 거대한 배도 만들도록 이끌었어요. 사람들은 아테나 덕분에 먹을 것이 풍족해지고, 생활도 편리해졌어요. 그래서 아테나를 위해 '파르테논 신전'을 지어 감사함을 표현했지요.

전쟁의 여신이 평화를 사랑했다고?

아테나는 전쟁의 여신이에요. 그런데 싸움보다는 평화를 더 사랑했지요. 아테나는 전쟁이 시작되면 가장 먼저 투구와 갑옷을 챙겼어요. 손에는 창과 염소가죽으로 만든 방패인 '아이기스'를 들었지요. 이 방패는 원래 대장장이 신 헤파이스토스가 제우스를 위해 만들었지만, 아테나도 함께 사용했어요. 아이기스는 벼락도 뚫지 못할 정도로 강력했어요.

게다가 아이기스를 한 번 흔들 때마다 엄청난 폭풍이 일어났어요. 그 때문에 적군은 아이기스만 보아도 두려움에 떨었어요. 아테나는 사람들과 도시를 지키기 위해 힘껏 싸웠어요. 전쟁이 끝나면 전쟁 때문에 부서진 건물들을 다시 세우는 것까지 도와주었지요. 강하지만 따뜻한 여신, 엄격하지만 온화한 여신이 바로 아테나의 진짜 모습이에요.

또 다른 전쟁의 신 아레스

전쟁에선 무조건 이겨야 돼!

신들의 왕비 헤라는 남편인 제우스 때문에 항상 머리가 아팠어요. 매일같이 다른 여자를 만나 자식을 낳는 것도 모자라, 머리에서 아테나를 꺼냈다지 뭐예요? 헤라는 제우스에게 복수하고 싶었어요. 그래서 혼자 힘으로 아기를 만들겠다고 결심했지요. 헤라는 꽃의 여신 클로리스를 찾아갔어요. 이야기를 들은 클로리스는 헤라에게 신비로운 꽃 한 송이를 건네주었어요. 헤라가 살며시 그 꽃을 만지자 정말로 아기가 생겼어요. 그렇게 아레스가 태어났답니다.

아레스는 잘생기고 덩치 큰 청년으로 자랐어요. 투구를 쓰고 날카로운 창을 든 채, 은빛 전차를 타고 다녔지요. 난폭한 전쟁의 신 아레스가 가장 좋아하는 것은 폭력과 싸움이었어요. 그래서 아무도 아레스를 좋아하지 않았어요. 아레스는 전쟁에서 정의롭게 이기는 것은 중요하지 않았어요. 그저 때려 부수고 닥치는 대로 공격했지요. 그는 전쟁터에 나갈 땐 두 아들 포보스와 데이모스도 항상 데려갔어요.

포보스는 공포심을 주고, 데이모스는 두려움을 주어 상대방을 전쟁에서 지게 만들었어요.

신들의 재판을 받은 아레스

아무리 난폭한 아레스도 딸, 알키페에게는 무척 자상한 아버지였어요. 어느 날, 알키페가 혼자 길을 걷다 목이 말라 가까운 강에 다가갔어요. 그 강은 바다의 신 포세이돈의 아들, 할리로티오스가 다스리는 곳이었어요. 할리로티오스는 알키페가 마음에 들었어요. 하지만 예의 있게 고백하기는커녕 거칠게 굴면서 함부로 대했지 뭐예요. 놀란 알키페가 도와달라고 소리치자 아레스가 힘껏 창을 던졌어요. 할리로티오스는 창에 맞아 죽고 말았어요.

포세이돈은 아들이 죽은 뒤, 슬픔과 분노를 참을 수 없었어요. 그는 다른 신들에게 아레스는 위험한 인물이니 죽여야 한다고 주장했어요. 신들의 왕 제우스는 올림포스 열두 신을 언덕으로 불러 모았어요. 그리고 아레스에게 벌을 주어야 할지 말지 투표했어요. 그 결과, 아레스에게 죄가 없다는 결정이 내려졌어요. 딸을 걱정한 아버지의 마음을 이해해 주었거든요. 이것이 바로 최초의 재판이었어요. 그래서 그리스 인들은 이 언덕에 재판소를 짓고 아레스의 이름을 따서 '아레오파고스'라고 불렀답니다.

전쟁의 여신 VS 전쟁의 신

아테나와 아레스는 똑같은 전쟁의 신이지만 성격은 정반대였어요. 전쟁의 신끼리 싸우면 누가 이길까요? 원수는 외나무다리에서 만난다는 말처럼 아테나와 아레스가 전쟁터에서 마주친 적이 있어요. 그리스와 트로이의 전쟁에서였지요. 그리스와 트로이는 십 년 넘게 전쟁 중이었어요. 평소 싸움을 좋아하던 아레스가 그 전쟁을 그냥 지나칠 리 없었지요. 그는 그리스 군에게 무자비하게 창을 던졌어요. 그리스 군은 아레스를 보자마자 두려움에 떨며 전쟁에서 밀리기 시작했어요. 그때 아테나가 그리스 군 앞에 나타났어요.

네가 그 평화를
사랑한다는 아테나?
흥, 평화 좋아하시네.

아테나는 "아레스 같은 야만적인 신에게 승리를 안겨 줄 수 없다!"라고 소리치며 그리스 군에게 용기를 주었어요. 힘을 얻은 그리스 군이 다시 싸우기 시작했어요. 화가 난 아레스가 아테나에게 창을 던졌지만 잽싸게 피했어요. 그리고 부메랑처럼 창을 되돌려 보내 오히려 아레스에게 상처를 입혔지요. 힘으로만 싸우는 아레스는 지혜로 싸우는 아테나를 결코 이길 수 없었어요. 그 뒤로도 둘은 전쟁터에서 여러 번 맞붙었지만 승리는 늘 아테나 편이었어요.

전쟁에서 승리를 알려 주는 여신

전쟁에서 승리하려면 어떻게 해야 할까요? 반드시 니케 여신이 편을 들어 주어야만 해요. 니케는 '전쟁에서 승리를 알려 주는 여신'이라는 뜻을 가지고 있어요. 신들의 왕 제우스가 티탄과 전쟁을 했을 때, 니케가 제우스 편을 든 덕분에 제우스가 승리했어요. 그때부터 니케는 제우스의 사랑을 독차지하며 어디서나 환영을 받았지요.

니케는 아테나 여신을 따르며 도와주는 역할도 했어요. 니케에게는 커다란 날개가 있었는데, 그 날개가 활짝 펴지면 전쟁의 기쁜 승리를 의미해요. 하지만 날개가 부러지면 전쟁에서 희생을 치러야 했지요. 지금도 아테나의 파르테논 신전 옆에는 니케의 신전이 나란히 붙어 있어요. 니케는 아테나만큼이나 인기가 많아서 그리스 여러 지역에 신전이 많았답니다.

니케 신전

사랑과 미의 여신, 아프로디테

바다 거품에서 태어난 여신

아프로디테는 바다 거품에서 태어난 여신이에요. 한때 티탄의 왕이었던 우라노스의 피가 바다에 떨어졌어요. 그렇게 바다를 떠다니던 피가 하얀 거품과 뒤섞였어요. 그곳에서 아름다운 여신 아프로디테가 태어났지요. 아프로디테는 대왕 조개를 타고 키프로스 섬에 도착했어요. 섬에 살던 계절의 여신들이 그녀를 따뜻하게 맞아 주었지요. 그 뒤, 아프로디테는 올림포스로 가서 미의 여신이 되었답니다.

사랑을 주는 마법의 허리띠

아프로디테에게는 특별한 허리띠가 있었어요. 사랑을 불러오는 마법의 힘이 담긴 허리띠였지요. 아프로디테가 이 허리띠를 두르고 나타나면 모두 그녀를 사랑하게 되었어요. 그래서 많은 여자들이 아프로디테를 부러워했지요. 신들의 왕비인 헤라 역시 그 허리띠가 탐났어요. 그래서 바람둥이 제우스의 마음을 잡아 두기 위해 허리띠를 빌리기도 했답니다.

올림포스 최고의 미녀는 누구?

아프로디테는 여신들 중에서 자신이 가장 아름답다고 생각했어요. 과연 다른 여신들도 그렇게 생각했을까요? 바다의 여신 테티스의 결혼식이 열린 날이었어요. 올림포스에 사는 신 모두 초대를 받았지만 불화의 여신 에리스만 초대를 받지 못했어요. 기분이 상한 에리스는 결혼식을 망치기로 결심했어요. 그녀는 결혼식장 한가운데 황금사과를 떨어뜨렸어요. 황금사과에는 '가장 아름다운 여신에게'라고 써 놓았어요. 아프로디테는 황금사과가 당연히 자기 것이라고 생각했어요.

그때 헤라와 아테나가 말했어요.

"내가 가장 아름답지."

세 여신이 황금사과를 놓고 다투었지만 쉽게 결론이 나지 않았어요. 그래서 트로이의 왕자 파리스에게 결정을 부탁했지요. 파리스 역시 쉽게 결정하지 못했어요. 그러자 헤라가 파리스에게 자신을 선택하면 '세상 모든 나라를 다스리는 왕으로 만들어 주겠다.'고 말했어요. 아테나는 '세상에서 가장 똑똑한 남자로 만들어 주겠다.'고 말했지요. 아프로디테는 '가장 아름다운 여자인 헬레네와 결혼시켜 주겠다.'고 했어요. 파리스는 결국 사랑을 선택했고 아프로디테가 황금사과의 주인이 되었답니다.

아프로디테의 또 다른 이름

비너스는 아프로디테의 또 다른 이름이에요. 수많은 예술가가 아프로디테의 아름다움을 표현하려 했어요. 아름다움을 시와 노래, 그림, 조각 등으로 표현했지요. 이 작품들 중에서도 가장 유명한 것이 바로 〈밀로의 비너스〉예요.

〈밀로의 비너스〉는 대리석으로 만든 조각상이에요. 1800년대, 그리스 밀로 섬의 아프로디테 신전 근처의 밭에서 일하던 농부가 이 조각상을 발견했지요.

밀로의 비너스

와!

〈밀로의 비너스〉는 아프로디테의 아름다움을 잘 표현했어요. 우아한 얼굴과 여성스러운 몸매가 섬세하게 조각되었지요. 얼굴과 몸의 비율이 완벽해서 황금비율이라고 하기도 하지요. 하지만 〈밀로의 비너스〉는 발견될 때부터 양팔이 없었어요. 오랜 세월이 지나면서 사라져 버린 것이지요. 현재 〈밀로의 비너스〉는 프랑스 루브르 박물관에 전시되어 아름다움을 뽐내고 있답니다.

사랑의 신, 에로스

아프로디테의 장난꾸러기 아들

아프로디테에게는 사랑스런 아들 에로스가 있었어요. 그는 큐피드라고도 불려요. 포동포동 귀여운 에로스에겐 날개도 있었지요.

그는 늘 아프로디테 곁에서 사랑을 퍼뜨렸어요. 에로스는 항상 금 화살을 가지고 다녔는데 이 화살에 맞으면 처음 보는 사람과도 순식간에 사랑에 빠졌어요. 못 말리는 장난꾸러기 에로스는 신과 인간에게 금 화살을 쏘아 사랑에 빠지게 만들기도 했어요.

에로스는 세월이 지나도 어른이 되지 않았어요. 언제나 아이 모습으로 짓궂은 장난을 쳤지요. 아프로디테는 아들이 걱정되어 질서의 여신 테미스에게 고민을 털어놓았어요. 테미스는 에로스에게 동생이 생기면 달라질 거라고 말해 주었어요. 얼마 뒤, 아프로디테는 에로스의 남동생인 안테로스를 낳았어요. 테미스의 말대로 동생이 태어나자 에로스는 청년이 되었어요. 안테로스는 사랑의 신인 에로스와 달리 '이루어지지 않은 사랑을 복수하는 신'이 되었어요.

아도니스에게 반한 아프로디테

장난꾸러기 에로스가 결국 큰 사고를 치고 말았어요. 숲속에서 놀다가 실수로 아프로디테의 가슴을 금 화살로 찔러 버렸지요. 때마침 사냥을 나온 청년 아도니스가 수풀을 헤치며 다가왔어요. 아프로디테는 아도니스에게 첫눈에 반해 버렸지요. 아프로디테는 하늘로 올라갈 생각도 하지 않고 아도니스의 뒤만 졸졸 따라다녔어요. 하지만 아도니스는 사랑에 관심이 없었지요. 그저 사냥에만 온 정신이 팔려 있었어요.

아프로디테는 아도니스에게 사나운 멧돼지를 조심하라고 몇 번이나 말을 한 뒤에야 올림포스로 돌아갔어요. 하지만 아도니스의 고통스런 목소리가 들려왔어요. 아도니스는 멧돼지의 공격으로 피투성이가 되어 목숨을 잃었어요. 슬픔에 가득 찬 아프로디테는 아도니스의 피에 넥타르★를 뿌렸어요. 그러자 바람이 불어와 붉은 꽃을 피웠지요.

그 뒤, 그 꽃은 아네모네 또는 바람꽃이라고 불리게 되었답니다.

★**넥타르** 영원한 생명과 젊음을 주는 신의 음료수예요.

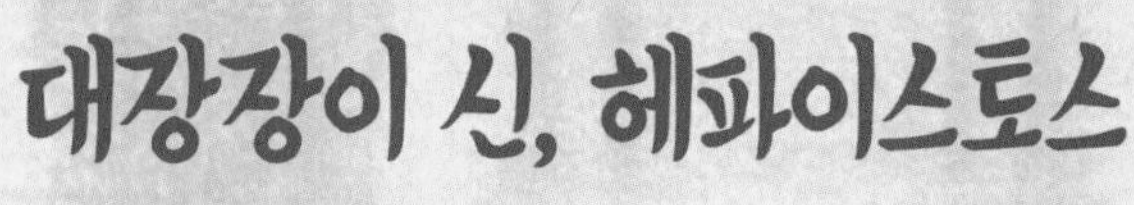

대장장이 신, 헤파이스토스

못생겨서 버림을 받았어요

헤파이스토스는 제우스와 헤라의 아들로 태어났지만 너무 못생겨서 그들에게 사랑을 받지 못했어요. 하지만 그는 성실하고 부드러운 마음씨를 가졌고, 손재주도 아주 뛰어나 올림포스 산에 있는 대장간에서 신과 인간을 위한 물건을 뚝딱뚝딱 만들었어요. 그래서 불을 관리하는 대장장이 신이 되었어요.

어느 날, 제우스와 헤라가 부부싸움을 했어요. 헤파이스토스는 헤라의 편을 들었지요. 화가 난 제우스는 헤파이스토스를 발로 차 올림포스에서 떨어뜨려 버렸어요. 렘노스라는 섬에 떨어진 헤파이스토스는 다리가 부러지고 말았어요. 그 때문에 평생 지팡이를 짚고 절뚝거리며 살았지요. 그는 제우스가 무서워서 올림포스로 돌아가지 못했어요. 대신 렘노스 섬에 대장간을 차렸어요. 몇 년 뒤, 방패 '아이기스'를 만들어 제우스에게 바치고서야 올림포스로 다시 돌아갈 수 있었답니다.

올림포스 최고의 발명가

대장장이 신 헤파이스토스는 무엇이든 척척 만들어 내는 발명가였어요. 갑옷과 투구는 물론 농기구까지 뚝딱 만들었지요. 돌을 깎아 아름다운 보석으로 바꾸고, 황금 로봇까지 만들었어요. 그는 자신의 뛰어난 손재주로 만든 물건을 신들에게 선물로 주었어요.

제우스를 위해서는 벼락과 황금의자를 만들었어요. 또 아폴론에게는 태양마차를, 헤라클레스에게는 방패를 선물했지요. 손재주가 좋은 헤파이스토스는 신들의 주문으로 쉴 틈이 없었어요. 그는 물건을 배달할 때 세 개의 금 바퀴가 달린 탁자를 이용했어요. 이 탁자는 자동으로 굴러갔다가 돌아왔는데, 이 역시 헤파이스토스의 놀라운 발명품이었지요.

미녀 신과 못난이 신의 결혼

헤파이스토스는 뛰어난 능력을 가졌지만, 못생긴 외모와 절뚝거리는 다리 때문에 인기가 없었어요. 당연히 결혼도 하지 못했지요. 그런데 놀라운 일이 일어났어요. 제우스가 "헤파이스토스와 아프로디테를 결혼시키겠다."라고 발표했기 때문이에요. 올림포스 신들은 가장 아름다운 신과 가장 못생긴 신의 결혼 발표에 깜짝 놀랐어요.

사실 제우스는 아프로디테 때문에 남자 신들끼리 싸우는 것이 늘 걱정이었어요. 그래서 서둘러 헤파이스토스와 결혼을 시키려 한 거예요.

아프로디테는 헤파이스토스가 마음에 들지 않았어요. 헤파이스토스 역시 그걸 모를 리 없었지요. 그는 아프로디테의 마음을 얻기 위해 선물을 만들기로 했어요. 대장간에서 며칠 밤을 보낸 끝에 드디어 사랑을 주는 마법의 허리띠를 완성했어요. 선물이 마음에 든 아프로디테는 결혼을 허락했어요. 허리띠를 두른 아프로디테는 전보다 훨씬 더 아름다워 보였지요. 이렇게 아프로디테와 헤파이스토스는 부부가 되었답니다.

청동 그물로 잡은 아레스

어느 날, 헤파이스토스에게 태양의 신 아폴론이 찾아왔어요.

아폴론은 우물쭈물하다가 입을 열었어요.

"저, 저기 아프로디테가 다른 사람을 만난대."

헤파이스토스는 큰 충격에 빠졌어요. 도저히 그 말을 믿을 수 없었지요.

그래서 자기 눈으로 직접 확인하기로 결심하고 청동 그물을 만들었어요.

그 그물은 눈에 보이지 않을 만큼 촘촘하고 가느다랬어요.

헤파이스토스는 그물을 꼭 쥔 채 아프로디테의 방에 몰래 숨어들었어요. 아무것도 모르는 아프로디테는 전쟁의 신 아레스를 자신의 방으로 불렀어요. 둘은 오래전부터 헤파이스토스 몰래 만나왔지요. 그 모습을 지켜보던 헤파이스토스가 둘을 향해 그물을 던졌어요. 깜짝 놀란 아프로디테와 아레스가 빠져나오려고 발버둥을 쳤지만 그물을 벗어날 수 없었어요. 머리끝까지 화가 난 헤파이스토스가 신들을 모두 불러 모았어요. 신들은 그물에 걸린 아프로디테와 아레스를 보고 웃음을 터뜨렸어요. 둘은 망신을 톡톡히 당하고 말았죠.

신화 놀이터
거품에서 태어난 아프로디테는 대왕 조개를 타고
키프로스 섬으로 갔어요. 사랑과 미의 여신의 뒤를
따라가 볼까요? 두 그림 중 다른 곳이 다섯 군데 있어요.
찾아서 ◯ 해 보세요.

신들의 세계는 뭔가 특별하고 인간 세계와 다를 것 같지만, 가만히 들여다보면 많이 닮아 있어요. 서로 사랑하고 미워하며 질투하고 싸우는 모습까지 닮았지요. 평생 처녀로 살겠다는 도도한 아르테미스의 첫사랑 이야기, 날개 달린 신발을 신고 바쁘게 다니는 모험가 헤르메스, 포도주를 만들고 축제의 신이 된 디오니소스까지 여러 신이 등장하지요. 그럼 지금부터 올림포스 신들의 이야기를 들어 볼까요?

올림포스의 다양한 신들

처녀 여신 아르테미스

아르테미스의 소원이 이루어졌어요

태양의 신 아폴론에게는 쌍둥이 여동생이 있었어요. 달의 여신 아르테미스랍니다. 아폴론은 태양이 뜨는 낮을 다스리고, 아르테미스는 달이 뜨는 밤을 다스렸어요. 보름달이 뜨는 날이면 아르테미스와 숲속 동물들이 춤을 추며 좋아했어요. 아르테미스는 '다산과 순산의 여신'이기도 해요. '다산'은 아이를 많이 낳는 것이고, '순산'은 별 탈 없이 아이를 낳는 거예요. 달의 여신은 왜 아기와 관련이 있을까요? 그리스 사람들이 보름달을 보며 임신한 여자의 둥근 배를 떠올렸기 때문이에요.

아르테미스는 헤라의 방해 때문에 태어나면서부터 고생을 많이 했어요. 대신 아버지인 제우스의 사랑을 듬뿍 받았지요. 아르테미스가 어렸을 때 일이에요. 제우스가 아르테미스에게 무엇이든 들어줄 테니 소원을 말해보라고 했어요. 그러자 아르테미스가 "평생 처녀로 살고 싶어요."라고 말했어요. 제우스는 그 소원을 들어주겠다고 했어요.

맹세를 어긴 칼리스토

아르테미스는 누구와도 결혼하지 않고 평생을 혼자 지냈어요. 결혼 대신, 순결한 처녀들을 보호하는 여신으로 살아갔지요. 아르테미스 곁에는 언제나 아홉 명의 님프들이 함께 있었어요. 그 님프들 역시 평생 처녀로 살 것을 맹세했어요. 만약 그 맹세를 어기면 무서운 벌을 받아야 했지요.

그런데 한 님프가 맹세를 깨고 아르테미스를 배신했어요.

그 님프의 이름은 칼리스토예요.

칼리스토는 모두의 눈을 피해 제우스와 사랑을 나누었어요. 하지만 아르테미스에게 들키고 말았지요. 아르테미스는 자신의 님프가 맹세를 어겼다는 사실에 크게 분노했어요. 그래서 당장 칼리스토를 숲에서 쫓아냈지요. 칼리스토는 두려움에 떨며 용서를 빌었어요. 쫓겨나는 순간, 제우스의 아내인 헤라에게 끔찍한 벌을 받을 게 뻔했거든요. 하지만 아르테미스는 냉정히 뒤돌아 가 버렸어요. 칼리스토는 결국 헤라의 저주를 받아 시커먼 곰으로 변하고 말았어요.

무시무시한 사냥의 여신

아르테미스는 사냥을 무척 좋아했어요. 그래서 항상 활과 화살을 몸에 지니고 다녔어요. 사냥개도 항상 데리고 다녔지요. 그래서 모두 아르테미스를 '사냥의 여신'이라고 불렀어요. 아르테미스는 사냥에 푹 빠져 숲속 구석구석을 뛰어다녔어요. 머리와 옷차림이 흐트러져도 신경 쓰지 않고 오직 동물들 쫓는 일에만 집중했지요. 그래서 아르테미스는 아무나 자신의 숲에 들어오는 걸 허락하지 않았어요.

어느 날, 아르테미스가 사냥을 한 뒤, 땀에 젖은 몸을 씻기 위해 숲속 연못을 찾았어요. 그때 숲을 지나던 사냥꾼 악타이온이 목욕하는 아르테미스를 보고 말았어요. 화가 난 아르테미스는 악타이온을 사슴으로 만들어 버렸어요. 사슴이 된 악타이온이 숲을 빠져나가려 하자, 날카로운 이빨을 드러낸 사냥개들이 무섭게 뒤쫓아 왔어요. 바로 악타이온의 개들이었지요. 개들은 주인을 알아보지 못했고, 악타이온은 결국 목숨을 잃고 말았어요. 이 이야기가 퍼지자, 겁먹은 사냥꾼들이 아르테미스의 숲을 조심스레 피해 다녔어요.

오리온과 결혼하고 싶어요!

아르테미스에게도 사랑이 찾아왔어요. 그녀가 첫눈에 반한 상대는 오리온(바다의 신 포세이돈의 아들)이었어요. 오리온은 잘생기고 사냥도 잘하는 멋진 청년이었지요. 아르테미스는 오리온이 너무 좋아 그와 결혼하고 싶었어요. 하지만 쌍둥이 오빠 아폴론이 아르테미스의 결혼을 반대했어요. 평생 처녀로 살겠다고 한 맹세를 지키길 바랐거든요. 하지만 아르테미스는 오빠의 말을 귀담아듣지 않았어요.

어느 캄캄한 밤이었어요. 어두운 바다를 바라보던 아폴론이 머리만 내놓고 헤엄치는 오리온을 발견했어요. 아폴론은 아르테미스에게 활쏘기 내기를 하자고 했어요. 그리고 바다에 떠 있는 오리온의 머리를 가리켰어요. 아르테미스는 그게 오리온일 줄은 꿈에도 몰랐지요. 아르테미스는 자신 있게 화살을 쏘았고 정확하게 오리온을 맞혔어요. 잠시 뒤, 죽은 오리온이 파도에 밀려 바닷가로 왔어요. 아르테미스는 가슴을 치며 눈물을 쏟았어요. 그리고 오리온을 별자리로 만들어 평생 가슴에 묻었답니다.

우리도 신이에요!

그리스 로마 신화에는 올림포스의 열두 신 이야기가 많이 나와요. 하지만 신화 속에는 올림포스 신들 외에도 여러 신이 등장한답니다. 먼저 뮤즈의 여신들이 있지요. 뮤즈의 여신들은 제우스와 기억의 여신 므네모시네 사이에서 태어났어요. 모두 아홉 명이었지요. 뮤즈들은 사람들이 새로운 노래와 아름다운 시를 지을 수 있게 도와주었어요. 그래서 지금도 예술가들은 자신만의 뮤즈를 찾아 헤맨답니다. 흥겨운 축제와 춤, 예술은 미의 여신들인 에우프로시네, 아글라이아, 탈레이아가 맡았어요.

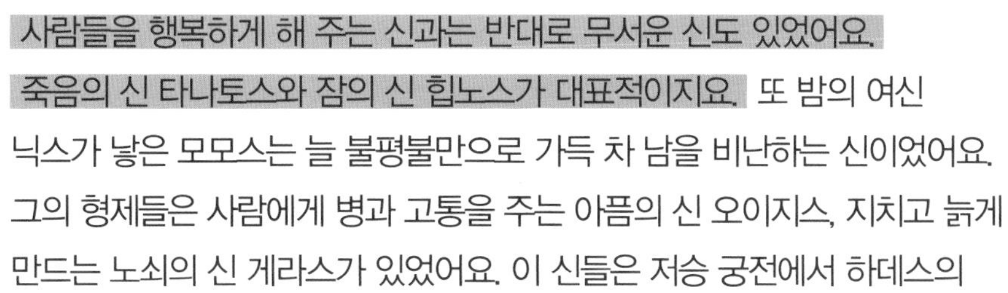

사람들을 행복하게 해 주는 신과는 반대로 무서운 신도 있었어요. 죽음의 신 타나토스와 잠의 신 힙노스가 대표적이지요. 또 밤의 여신 닉스가 낳은 모모스는 늘 불평불만으로 가득 차 남을 비난하는 신이었어요. 그의 형제들은 사람에게 병과 고통을 주는 아픔의 신 오이지스, 지치고 늙게 만드는 노쇠의 신 게라스가 있었어요. 이 신들은 저승 궁전에서 하데스의 명령만 기다리고 있어요.

세상에 아름다운 건 없어. 다 아프고 병들어라.

우린 불행을 주는 신들이지. 크크.

신들의 전령사, 헤르메스

꾀를 내어 소 떼를 차지했어요

제우스와 마이아 여신 사이에서 헤르메스가 태어났어요. 동굴에서 태어난 헤르메스는 쑥쑥 자라 동굴 밖으로 걸어 나갔지요. 동굴 밖은 신기한 것으로 가득했어요. 헤르메스는 엉금엉금 기어가는 거북을 잡아 등껍질로 리라를 만들었어요. 그다음은 목장에 있는 소 떼를 보았어요. 헤르메스는 소들을 자기 것으로 만들고 싶었지요. 캄캄한 밤이 되자, 헤르메스가 소의 발에 앞뒤가 똑같은 모양의 신발을 신겨 어느 쪽으로 갔는지 알 수 없게 만들었어요. 그리고 소들을 모두 데리고 목장 밖으로 나왔답니다.

소들의 주인은 태양의 신 아폴론이었어요. 아폴론은 소들이 어디로 갔는지 궁금했어요. 하지만 바닥에 찍힌 발자국이 똑같으니 쉽게 찾을 수 없었지요. 결국 아폴론은 점을 쳐서 소들이 간 방향을 알아냈어요. 헤르메스가 범인이라는 것을 알게 된 아폴론은 그에게 벌을 내리려고 했어요. 그런데 그 순간, 거북 등껍질로 만든 아름다운 리라 소리에 마음을 빼앗겨 버렸어요. 헤르메스는 얼른 소 떼와 리라를 바꾸자고 했고, 아폴론은 그만 고개를 끄덕였답니다.

신과 사람들에게 소식을 전해요

제우스는 영리한 헤르메스가 자랑스러웠어요. 그래서 헤르메스에게 선물을 주기로 했지요. 먼저 날개 달린 모자와 신발을 주어 헤르메스를 세상에서 가장 빠른 신으로 만들었어요. 아폴론도 '케리케이온'이라는 두 마리 뱀이 휘감고 있는 황금 지팡이를 주었지요. 뱀은 올림포스에서 지혜롭고 신비한 동물로 알려져 있지요. 이 황금 지팡이는 헤르메스를 나타내는 가장 중요한 물건이 되었답니다.

신들에게 선물을 받은 헤르메스는 '전령의 신'이 되었어요.
'전령'이란 높은 사람의 말이나 중요한 법을 전달하는 사람이에요.
지금의 집배원처럼 사람들에게 소식을 전해 주는 역할을 하지요.
헤르메스는 날개 달린 모자와 신발로 바람처럼 날아다녔어요.
제우스의 명령이나 법을 신과 사람에게 전달하기 위해서였지요.
또, 신과 사람 사이에 오고 가는 이야기도 전해 주었어요.

어려운 일도 척척! 가장 바쁜 신이에요

헤르메스는 올림포스 신 중 가장 바빴어요. 제우스의 전령 역할 외에도 할 일이 많았거든요. 저승의 신 하데스에게도 헤르메스가 꼭 필요했어요. 사람이 죽으면 헤르메스가 찾아가 죽은 사람의 눈 위에 황금접시를 올렸어요. 황금접시를 올려야 그 영혼이 편하게 저승으로 떠날 수 있기 때문이에요. 헤르메스는 영혼들을 빠르고 안전하게 하데스가 있는 저승까지 데려다주었답니다.

또 헤르메스는 '나그네를 보호하는 신'이라서 그들이 여기저기로 여행하는 걸 도와주었지요. '항해의 신'이기도 한 헤르메스는 뱃사람들을 보호했어요. 이 모든 것이 가능했던 이유는 헤르메스가 워낙 빠르게 움직였기 때문이에요. 뿐만 아니라 헤르메스는 '상업의 신'이었어요. 어릴 적, 아폴론의 소 떼와 리라를 바꾼 지혜로 장사하는 사람이 이익을 많이 남기도록 도와주었답니다.

피리 소리를
들으니 눈이 하나둘
감기네. 이오를
감시해야 하는데….
어서
잠들어라!
피리로
안 되면 이번엔
긴 이야기다.

피리 소리로 괴물 아르고스를 물리쳤어요

어느 날, 제우스가 조용히 헤르메스를 불렀어요. 사실 제우스는 이오라는 여자를 암소로 바꾸어 헤라 몰래 만나고 있었어요. 하지만 헤라에게 들키고 말았지요. 헤라는 눈이 백 개 달린 괴물 아르고스에게 하루 종일 이오를 감시하라고 명령했어요. 제우스는 헤르메스에게 이오를 탈출시키라고 비밀스럽게 말했어요. 헤르메스는 평범한 목동인 척 아르고스 앞에 나타나 피리를 불었어요. 아르고스는 은은하고 아름다운 피리 소리에 스르르 눈이 감기기 시작했어요. 하지만 몇 개의 눈은 여전히 뜬 채로 이오를 감시했어요. 헤르메스가 다시 꾀를 내어 아르고스에게 피리를 얻게 된 길고 긴 이야기를 들려주었지요. 그제야 아르고스의 눈이 전부 감겼어요. 헤르메스는 기회를 놓치지 않고 단숨에 아르고스를 무찌르고 이오를 탈출시켰어요. 헤라는 아르고스의 죽음을 슬퍼하며 백 개의 눈을 공작새 날개 장식으로 달아 주었답니다.

질투 때문에 돌이 된 아글라우로스

헤르메스는 아름답기로 소문난 아테네 공주 헤르세를 좋아했어요. 어느 날, 아테네 왕국에서 아테나 여신을 위한 축제가 열렸어요. 모든 아가씨들이 축제에서 자신의 아름다움을 뽐냈지요. 헤르메스는 헤르세를 만나기 위해 축제에 갔어요. 그런데 헤르메스에게 반해 버린 아가씨가 있었어요. 헤르세의 여동생 아글라우로스예요. 헤르세와 아글라우로스는 평소 사이좋은 자매였지만 헤르메스 때문에 사이가 나빠졌어요.

아글라우로스는 헤르메스의 뒤를 따라갔어요. 헤르메스가 헤르세의 방문을 열려는 순간, 아글라우로스가 그 앞을 가로막았어요. 헤르메스가 자신이 아닌 언니를 사랑하는 게 질투가 났기 때문이에요.

"돌처럼 한 발자국도 움직이지 않겠어요."

헤르메스가 아무리 설득해도 고집을 꺾지 않았어요. 참다못한 헤르메스가 황금 지팡이로 바닥을 내리쳤어요. 그러자 아글라우로스의 몸이 점점 굳어지더니 진짜 돌이 되어 버렸어요.

딸꾹! 술의 신 디오니소스

제우스의 허벅지에서 태어났어요

디오니소스는 제우스의 아들이에요. 테베 왕국의 공주 세멜레가 디오니소스를 임신하고 있을 때였어요. 할머니로 변신한 헤라가 세멜레를 찾아왔어요. 헤라가 찾아온 줄 꿈에도 모르는 세멜레가 자신이 제우스의 아내라고 자랑했어요. 헤라는 그 말을 믿지 않는 척했어요. 세멜레는 무척 자존심이 상했어요. 헤라는 이때다 싶어 세멜레에게 제우스가 남편인 증거가 있느냐고 물었어요.

그날 밤, 세멜레는 제우스에게 신들의 왕만 쓸 수 있는 투구를 보여 달라고 졸랐어요. 아무리 말려도 소용이 없었지요. 할 수 없이 제우스가 투구를 썼어요. 그때 제우스의 몸에서 엄청나게 강한 빛이 뿜어져 나왔어요. 인간인 세멜레는 그 빛을 견디지 못하고 타서 재가 되어 버렸어요. 제우스는 세멜레의 배 속에 있는 아기까지 잃을까 봐 얼른 아기를 꺼내 자신의 허벅지에 넣었어요. 그리고 열 달이 될 때까지 길렀어요. 그렇게 열 달을 채우고 제우스의 허벅지에서 디오니소스가 태어났어요.

포도주를 만들고 축제의 신이 되었어요

제우스는 헤라의 눈에 띄지 않도록 디오니소스를 깊은 숲속에 숨겼어요. 숲속에 사는 님프들이 아기를 보살폈지만 항상 헤라의 눈치를 봐야 했지요. 제우스는 디오니소스를 아기 양으로 변신시켜 헤라를 속이기도 했어요. 어느덧 디오니소스가 무럭무럭 자라 청년이 되었어요. 그는 포도를 키워 그 포도로 술을 빚는 방법을 알아냈어요. 디오니소스는 시간이 지날수록 숲을 벗어나 올림포스로 가고 싶었어요. 숲 밖의 세상이 너무 궁금했기 때문이에요. 하지만 헤라가 무서워서 나가지 못했어요. 그러던 어느 날 헤라가 디오니소스를 정신이 흐려지는 병에 걸리게 만들었어요. 그 때문에 디오니소스는 바보같이 행동했어요. 포도 잎사귀로 만든 관을 머리에 쓰고 포도 담쟁이가 엉킨 창을 들고 이리저리 떠돌아 다녔지요.

다행히 디오니소스를 불쌍히 여긴 레아 여신이 병을 고쳐 주었어요. 디오니소스는 병이 나은 뒤, 포도를 기르고 술을 만드는 법을 사람들에게 가르쳐 주었어요. 사람들은 포도주를 만들어 마시면서 춤을 추고 노래도 불렀어요. 사람들은 디오니소스를 '축제의 신'으로 섬겼어요.

아리아드네에게 선물한 금관

크레타 왕국에는 사람을 잡아먹는 괴물 황소 미노타우로스가 살았어요. 크레타 왕은 미노타우로스가 무서워 많은 사람을 재물로 바쳤지요. 그 사실을 안 아테네의 영웅 테세우스가 크레타 왕국으로 갔어요. 크레타 왕국의 공주 아리아드네도 테세우스를 도왔지요. 두 사람은 지혜를 모아 미노타우로스를 무찔렀고 영원한 사랑을 약속했어요. 하지만 아리아드네가 잠든 사이 테세우스가 혼자 아테네로 돌아가 버렸어요. 잠에서 깨어난 아리아드네는 슬픔에 빠졌어요.

그때 디오니소스가 아리아드네에게 다가갔어요. 아름다운 아리아드네에게 첫눈에 반했기 때문이지요. 디오니소스는 아리아드네를 진심으로 위로해 주었어요. 그녀는 디오니소스의 따뜻한 마음에 감동했고 둘은 결혼을 약속했지요. 디오니소스는 결혼 선물로 보석이 박힌 금관을 주었어요. 아리아드네는 그 금관을 평생 소중하게 간직했어요. 훗날 아리아드네가 세상을 떠났을 때, 디오니소스는 금관을 하늘로 던졌어요. 하늘로 올라간 금관의 보석들은 반짝이는 별자리가 되었어요.

그 별자리가 바로 '북쪽왕관자리'랍니다.

황금의자에 갇힌 헤라를 구했어요

어느 날, 헤라가 디오니소스를 급하게 불렀어요. 디오니소스는 평소 자신을 미워하던 헤라가 왜 찾는지 궁금했어요. 헤라의 궁전에 도착하자, 헤라가 황금의자에 몸이 묶인 채 꼼짝 못 하고 있었어요. 그 황금의자는 헤파이스토스가 헤라에게 보낸 것이었어요. 자신을 버린 어머니 헤라가 미워서 복수한 거였죠. 헤라는 디오니소스와 헤파이스토스가 아주 친한 사이라는 걸 알고, 디오니소스에게 황금의자 열쇠를 가져오라고 했어요. 디오니소스는 드디어 헤라에게 인정받을 수 있는 기회가 생겼다고 생각했어요.

디오니소스는 헤파이스토스를 찾아가 열쇠를 달라고 졸랐어요. 하지만 순순히 열쇠를 주지 않았지요. 디오니소스는 포기하지 않고 자신이 직접 만든 포도주를 들고 헤파이스토스를 다시 찾아갔어요. 향긋한 술에 취해 기분이 좋아진 헤파이스토스가 마침내 열쇠를 주었어요. 디오니소스는 헤라를 구한 것은 물론이고, 헤파이스토스와 헤라가 화해하는 것도 도와주었어요.

그리스 인들은 축제를 좋아해요

옛날 그리스 사람들은 크고 작은 축제를 자주 열었어요. 주로 신화 속에 등장하는 신들을 기리는 축제였지요. 가장 대표적인 축제가 올림피아 경기예요. '올림피아'라는 이름은 제우스 신전인 올림피에이온이란 말에서 지어졌다고 전해져요. 제우스가 티탄과 싸워 이긴 기념으로 만들어진 축제랍니다. 이 축제는 4년마다 열렸으며 레슬링이나 높이뛰기, 원반던지기와 창던지기 같은 운동 경기가 펼쳐졌어요. 이 축제가 바로 오늘날 올림픽의 맨 처음 모습이에요.

아폴론 신의 축제는 '피티아 축제'라고 해요. 음악의 신을 위한 축제답게 리라 연주와 노래 경연 대회가 열렸어요. 아테나 여신의 탄생을 축하하는 축제도 있었어요. '판아테나이아 축제'예요. 이 축제 역시 운동 경기와 노래, 춤 대회가 열렸어요. 이 대회에서 일등을 한 사람은 아테나 여신이 전해 준 올리브로 만든 기름을 받았어요. 디오니소스를 위한 축제도 있었어요. 이 축제는 주로 연극 공연을 하거나 분장을 하고 거리를 행진했어요. 이렇듯 그리스 사람들은 많은 축제를 즐겼답니다.

신화
놀이터
헤르메스는 올림포스 신 중에서 가장 바쁜 신이에요.
신과 사람들에게 소식을 전해 주는 등 정말 할 일이
많았어요. 다음 그림을 보고 헤르메스가 한 일이
아닌 것을 두 개 골라 보세요.
나는 나그네를 보호하는 신! 모두 나만 믿고 안전하게 여행하라고!
덕분에 무사히 도착하겠어요.
아하하! 나는 전쟁의 신이다!

나는 사랑의 신!
이 화살에 맞으면
누구나 사랑에
빠지지!
쓰, 쏘지 마!
나는 상업의 신!
장사로 돈 버는
법을 알려 주지!
골라!
골라!
SALE
나는 항해의 신!
뱃사람들을
보호하지!

프로메테우스는 인간을 만든 신이에요.

그는 인간을 너무 사랑해 신들의 반대를 무릅쓰고 인간에게 불을 가져다주었어요. 그 대가로 끔찍한 벌을 받게 되었지요.

제우스는 인간에게도 벌을 주기로 했어요.

프로메테우스와 인간은 제우스의 벌을 무사히 견뎌 낼 수 있을까요?

프로메테우스와 인간을 둘러싼 이야기를 들어보세요.

인간의 탄생과 멸망

너희에게는
신처럼 두 발로
걸을 수 있는
능력을 줄게.
톡
톡
톡
톡
톡

인간을 사랑한 신, 프로메테우스

인간을 신과 똑같이 만들었어요

프로메테우스는 인간에게 부모 같은 신이에요. 인간을 만들고 보살펴 주었기 때문이죠. 프로메테우스는 거인 신족이었던 티탄이었어요. 티탄은 올림포스 신들과의 전쟁에서 져서 사라졌지만, 프로메테우스는 제우스 편을 들었기 때문에 살아남을 수 있었어요. 프로메테우스는 동생 에피메테우스와 함께 인간을 만들었어요. 그들은 흙을 반죽해서 신과 똑같은 모습으로 인간을 빚었지요. 뒤이어 동물들도 만들었어요. 에피메테우스는 동물들에게 용기, 힘, 속도, 지혜 등을 골고루 나누어 주었어요. 새에게는 날개를 주고, 호랑이에게는 발톱을, 뱀에게는 껍질을 주었지요. 그런데 동물들에게 다 주고 나니 인간에게 줄 선물이 없었어요. 에피메테우스는 프로메테우스에게 도움을 청했어요. 프로메테우스는 인간에게 두 발로 걷는 능력을 주었어요. 이 덕분에 다른 동물은 모두 고개를 숙여 땅을 내려다보는데 인간만은 고개를 들고 하늘을 볼 수 있었지요.

제우스를 깜빡 속여 넘겼어요

프로메테우스는 인간이 좋았어요. 그래서 소중히 아끼며 보살펴 주었지요. 인간도 신을 우러르며 잘 따랐어요. 인간은 신들의 왕 제우스에게 존경과 사랑을 표현하고 싶었어요. 그런데 어떻게 해야 할지 몰랐지요. 그래서 프로메테우스를 찾아가 제우스에게 무엇을 선물하면 좋을지 물었어요.

프로메테우스는 인간들의 행동이 못마땅했어요.

'내가 제우스보다 너희를 더 사랑하는데…….'

인간들은 제우스에게 소를 바치기로 했어요. 그런데 소의 살코기를 바치느냐, 뼈와 기름을 바치느냐 하는 문제로 고민에 빠졌어요.

그때 프로메테우스가 나섰어요.

"고기와 뼈 둘 다 놓아두고 제우스에게 직접 고르게 해."

프로메테우스는 아무도 모르게 살코기는 뻣뻣한 가죽에, 뼈는 고소한 기름에 싸 두었어요. 제우스는 맛있는 냄새가 나는 쪽을 선택했어요. 하지만 안에 뼈만 들어 있자 크게 실망했어요. 제우스는 이 모든 게 프로메테우스가 꾸민 일이라는 것을 알고 벌을 내려야겠다고 마음먹었어요.

불을 훔쳐 인간에게 주었어요

인간은 모르는 것도 많고 신보다 힘도 약했어요. 편히 쉴 집도 없고 음식을 만들어 먹는 법도 몰랐지요. 밖에서 자다 비를 맞거나, 날고기를 먹고 배탈이 나기도 했어요. 야생동물에게 공격받아 목숨을 잃기도 하고, 추위에 얼어 죽는 일도 많았지요. 프로메테우스는 인간이 가여워 견딜 수 없었어요. 어떻게 도와줄까 고민하다가 좋은 생각이 났어요.

"그래! 인간에게 불을 선물하자."

하지만 불은 제우스의 벼락에서만 구할 수 있었어요. 제우스의 허락 없이는 손조차 댈 수 없었지요. 프로메테우스는 제우스 몰래 불을 훔치기로 마음먹었어요. 그는 제우스의 벼락으로 다가가 불씨를 훔쳐 인간에게 주었어요. 불은 인간에게 놀라운 선물이었어요. 몸을 따뜻하게 하고 사나운 동물을 쫓아 주었어요. 음식도 맛있게 익혀 주었지요. 비로소 인간은 편안하게 살 수 있게 되었어요.

제우스에게 끔찍한 벌을 받았어요

불이 널리 퍼지자 인간 사회는 눈부시게 발전했어요. 집을 짓고 음식을 익혀 먹으며 동물보다 훨씬 강해졌지요. 인간은 점점 자신만만해져 신도 두려워하지 않게 되었어요. 제우스는 이 모든 게 프로메테우스가 허락도 없이 인간에게 불씨를 주었기 때문이라고 생각했어요.

화가 난 제우스는 프로메테우스를 당장 잡아들였어요.

제우스는 카우카소스 산꼭대기에다 프로메테우스를 쇠사슬로 단단히 묶었어요. 이 쇠사슬은 너무 단단해 거인인 프로메테우스도 끊을 수가 없었지요. 제우스는 독수리를 시켜 프로메테우스의 간을 쪼아 먹게 했어요. 독수리가 간을 다 쪼아 먹으면 새로운 간이 또 생겨났어요. 프로메테우스는 매일매일 똑같은 고통을 당해야 했어요. 하지만 프로메테우스는 인간에게 불을 준 것을 후회하지 않았고 제우스에게 용서도 빌지 않았지요.
그 뒤, 인간들은 프로메테우스를 영웅으로 떠받들었어요.

3만 년 동안 벌을 받았어요

프로메테우스는 얼마나 벌을 받았을까요? 10년, 100년? 무려 3만 년이나 벌을 받았어요. 오랜 시간 벌을 받던 프로메테우스를 구한 건 위대한 영웅 헤라클레스예요. 헤라클레스가 배를 타고 모험을 하다가 카우카소스 산에 도착했어요. 그곳에서 쇠사슬에 묶인 채 독수리에게 간을 쪼아 먹히고 있는 프로메테우스를 발견했지요. 헤라클레스는 활을 쏘아 독수리를 죽여 버렸어요. 프로메테우스는 드디어 길고도 긴 벌에서 벗어날 수 있었지요. 프로메테우스는 그 보답으로 헤라클레스의 앞날을 예언해 주었어요. 덕분에 헤라클레스는 모험을 하는 동안 여러 차례 위기에서 벗어났어요.

살다 보면 옳은 일을 해도 잘못을 빌어야 하는 억울한 경우가 생기기도 해요. 나보다 힘이 센 사람의 뜻을 거스르는 건 두려운 일이지요. 하지만 프로메테우스는 신들의 왕 제우스 앞에서도 뜻을 굽히지 않았어요. 그래서 그는 오랜 시간이 지나도 사람들 기억에 영웅으로 남아 있답니다. 프로메테우스는 훗날 수많은 예술 작품의 주인공으로 등장해요. 바로 그의 위대한 정신 때문이지요.

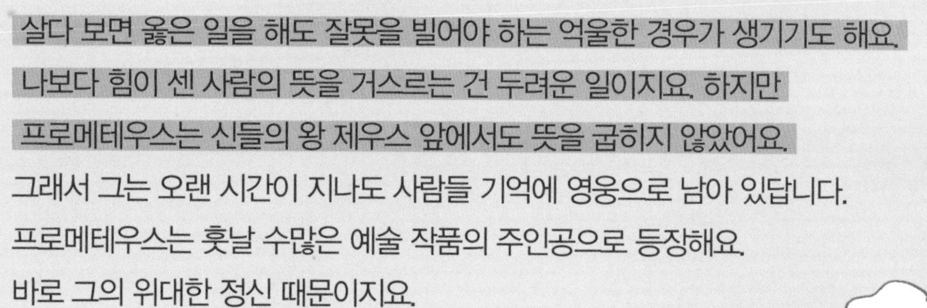

최초의 여자, 판도라

헤파이스토스가 최초의 여자를 만들었어요

제우스는 프로메테우스에게 벌을 준 뒤에도 화가 풀리지 않았어요. 프로메테우스를 따르고 받드는 인간들이 꼴 보기 싫었지요. 제우스는 자신을 따르지 않는 인간에게 불행을 주기로 결심했어요. 그래서 대장장이 신 헤파이스토스를 불러 여자를 만들라고 명령했어요. 그 당시 인간 세상에는 남자만 많을 뿐 여자는 없었거든요. 헤파이스토스는 세상에서 가장 아름다운 여신 아프로디테를 본떠 여자를 만들었어요. 그렇게 최초의 여자가 태어났어요. 아프로디테는 그녀에게 '아름다움'을, 헤르메스는 '상대방을 부드럽게 설득하는 능력'을, 아폴론은 '노래 잘하는 능력'을 주었지요.

제우스는 여자에게 '모든 선물을 받은 여자'라는 뜻으로 판도라라는 이름을 지어 주었어요. 그리고 마지막 선물을 주었어요. 그건 바로 '호기심'이었어요. 판도라는 그 호기심을 가지고 인간 세상으로 가게 되었답니다.

세상 남자들아,
내가 부러워
죽겠지?
전 최초의
여자 판도라예요!

에피메테우스의 아내가 되었어요

에피메테우스의 집에 누군가 찾아왔어요. 문을 열어 보니 낯선 여자가 서 있었어요.

"저는 제우스 님이 보낸 최초의 여자 판도라예요."

에피메테우스는 아름다운 판도라를 보자마자 첫눈에 반했어요. 하지만 잠시 머뭇거렸지요. 형인 프로메테우스가 제우스가 보낸 것은 절대 받지 말라고 했거든요. 하지만 형의 당부도 사랑을 이길 수 없었어요. 그는 서둘러 판도라를 집으로 들어오게 했어요. 에피메테우스 집에 예쁜 여자가 있다는 소문이 세상에 널리 퍼졌어요. 수많은 남자들이 몰려와 판도라를 만나려고 했어요. 에피메테우스는 판도라가 다른 사람을 사랑할까 봐 두려웠어요. 그래서 판도라에게 청혼을 했어요. 얼마 뒤, 둘은 결혼했고 행복하게 살았어요. 하지만 그 행복은 오래 가지 못했어요.

희망만 남은 판도라의 상자

에피메테우스의 집에는 상자가 하나 있었어요. 그는 판도라에게 상자를 절대로 열지 말라고 했어요. 상자를 열었다간 엄청난 일이 벌어진다고 겁을 주었지요. 하지만 판도라는 상자 속이 궁금해 병이 날 지경이었어요. 시간이 갈수록 궁금증이 줄어들기는커녕 점점 커져 잠도 오지 않았지요. 이 모든 게 제우스가 선물로 준 '호기심' 때문이었어요.

결국 판도라는 호기심에 지고 말았어요.

판도라는 모두가 잠든 밤이 되자 살그머니 상자 뚜껑을 열었어요. 뚜껑이 열리자 상자 속에 갇혀 있던 온갖 나쁜 것이 튀어나왔어요. 먼저 질병이, 뒤이어 질투, 미움, 복수 같은 것들이 쏟아져 나왔지요. 판도라가 재빨리 뚜껑을 닫았지만 이미 늦었어요. 나쁜 것들이 벌써 인간 세상 속으로 흩어져 버렸거든요. 이때부터 평화롭고 행복했던 인간에게 불행이 시작되었어요. 하지만 상자 맨 밑에 마지막 한 가지가 남아 있었어요. 바로 '희망'이었지요. 그래서 인간은 아무리 힘들고 어려운 일이 생겨도 살아갈 수 있답니다. 늘 희망이 남아 있으니까요.

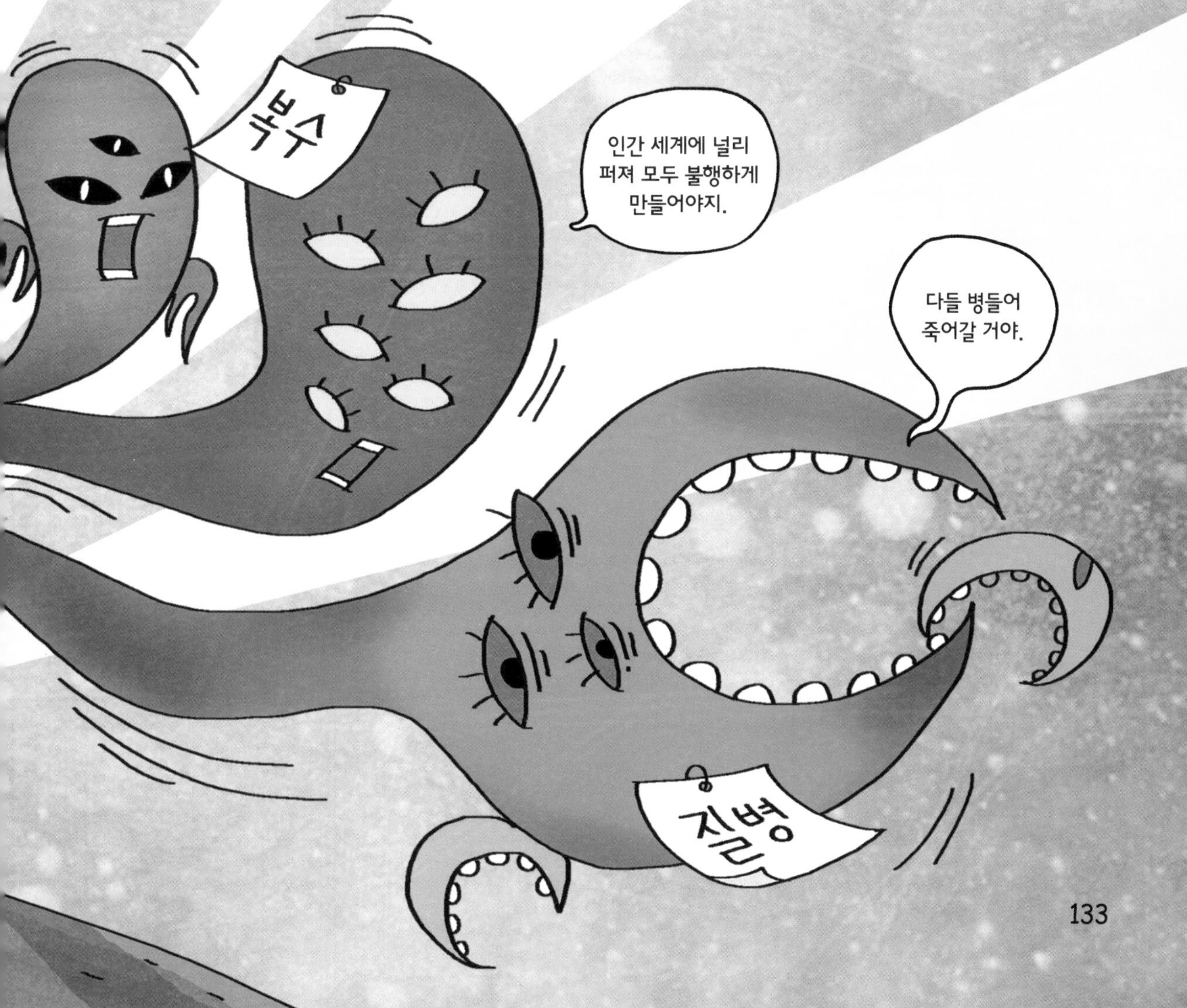

손님을 귀하게 대접하는 풍습

만약 에피메테우스가 판도라를 집으로 들이지 않았다면 세상은 지금보다 행복했을지 몰라요. 상자 속 불행들이 튀어나오지 않았을 테니까요. 그렇다면 에피메테우스는 왜 처음 본 사람을 집으로 들어오게 했을까요? 그것은 옛날 그리스 사람들의 손님맞이 풍습 때문이에요. 풍습은 옛날부터 내려오는 습관이나 규칙을 말해요. 옛날 그리스 사람들은 자기 집에 온 나그네나 손님을 귀하게 여겼어요. 올림포스 신들이 몰래 변신하고 찾아왔을지도 모르니까요.

때때로 신들은 모습을 바꾼 채 인간의 집에 찾아갔어요. 아름답고 화려한 모습은 감추고 거지나 가난한 할머니나 떠돌이 차림으로 문을 두드렸지요. 겉모습에 상관없이 반갑게 맞아주는 집주인에게는 큰 상을 주었어요. 고민도 해결해 주었고요. 반대로 못되게 굴거나 쫓아내면 무서운 벌을 내렸답니다. 그래서 옛날 그리스 사람들은 가난한 나그네와 거지도 귀하게 대접했어요. 부자들은 손님을 위해 9일 동안 잔치를 열기도 했어요.

인류의 조상, 데우칼리온

인간을 구하기 위해 배를 만들었어요

데우칼리온은 프로메테우스의 아들이에요. 그는 인간 세상에서 아내 피라와 함께 행복하게 살고 있었지요. 그런데 인간 세상은 날이 갈수록 엉망진창이 되었어요. 판도라의 상자에서 불행들이 튀어나왔기 때문이에요. 인간 세상은 평화가 깨지고 전쟁이 일어났어요. 돈 때문에 형제끼리 싸우고, 가족과 친구도 믿지 못하게 됐어요. 인간을 아끼던 신들은 그런 모습에 실망해 떠나기 시작했어요. 그 가운데 오직 두 사람, 데우칼리온과 피라만 착하고 정직하게 살아갔어요.

그러던 어느 날, 데우칼리온이 아버지 프로메테우스를 찾아갔어요. 프로메테우스는 카우카소스 산에서 제우스의 벌을 받고 있었지요. 그는 아들에게 제우스가 인간들을 모두 없애려 하니 서둘러 커다란 배를 만들라고 예언했어요. 데우칼리온은 몇 달에 걸쳐 커다란 배를 만들었어요. 그리고 인간들에게 배에 타라고 말했어요. 하지만 모두 그의 말을 무시하고 배에 타지 않았어요. 데우칼리온은 하는 수 없이 동물들만 배에 태웠어요.

욕심 많고
맨날 싸움만 하는
인간들을 싹 다 쓸어
버리겠다! 파도야,
좀 더 몰아쳐라!
으악!
살려 줘!
신이시여, 우리를
구해 주세요!

인간이 모두 사라졌어요

데우칼리온의 배 문이 닫히자, 하늘이 갑자기 어두워졌어요. 제우스가 비구름을 불러왔기 때문이에요. 곧 폭포처럼 엄청난 비가 쏟아졌어요. 바다의 신 포세이돈은 바다와 강을 넘치게 했어요. 온 세상이 순식간에 물바다가 되어 버렸지요. 땅이 흔들리고 지진까지 났어요. 인간은 비명을 지르며 살려달라고 외쳤지만 아무도 그들을 도와주지 않았어요. 배 안에 있던 데우칼리온은 너무 무서워 꼼짝도 할 수 없었어요. 커다란 배는 폭풍과 지진을 피해 이리저리 떠돌아다녔어요. 9일 동안 물 위를 떠다닌 끝에 파르나소스 산에 도착했어요. 오직 그곳만 물에 잠기지 않았거든요. 데우칼리온이 조심스럽게 배에서 나왔어요. 땅은 사라지고 끝없는 바다만 펼쳐져 있었지요. 프로메테우스의 예언처럼 모든 인간이 사라져 버렸어요. 데우칼리온과 아내 피라가 세상에 남은 유일한 인간이었어요.

새로운 인류가 태어났어요

인간이 모두 사라지자 지진과 폭풍이 멈추었어요. 제우스가 포세이돈에게 물을 제자리로 돌려놓으라고 명령했어요. 포세이돈이 소라고둥을 불자 땅을 덮었던 물이 원래의 바다와 강으로 흘러갔어요. 세상은 예전 모습으로 돌아갔지만 아무도 없었어요.

세상에 단둘이 남은 데우칼리온과 피라는 외롭고 무서웠어요.

그래서 새로 인간을 만들어 낼 방법을 찾기로 했어요.

"새로운 인간을 만들 방법을 알려 주세요."

데우칼리온이 테미스 여신의 신전으로 찾아가 엎드려 빌었어요.

테미스 여신은 "어머니의 뼈를 등 뒤로 던져라."라고 말했지요.

데우칼리온은 그 말의 뜻을 곰곰이 생각했어요. 그리고 답을 찾았어요.

'지구는 대자연의 어머니이니, 그 뼈는 바로 돌멩이겠구나!'

데우칼리온과 피라는 곧 등 뒤로 돌을 던졌어요. 그러자 돌이 인간의 모습으로 변했어요. 돌에 묻은 흙은 살이 되고, 딱딱한 돌은 뼈가 되었지요.

데우칼리온이 던진 돌은 남자가 되고 피라가 던진 돌은 여자가 되었어요.

이렇게 새로운 인류가 태어났답니다.

판도라는 호기심 때문에 열어서는 안 될 상자를 열고 말았어요. 그래서 인간 세계에 불행이 시작되었지요. 다음 문제를 읽고 알맞은 답을 낱말 판에서 찾아 색칠해 보세요.

❶ 미워하는 일이나 미워하는 마음을 뭐라고 할까요?

❷ 몸의 온갖 병을 뭐라고 할까요?

❸ 다른 사람이 잘되거나 좋은 처지에 있는 것이 괜히 싫은 감정이 뭘까요?

❹ 원수를 갚는 것을 뭐라고 하나요?

❺ 판도라 상자에 딱 하나 남은 것으로, 앞일에 대하여 기대하는 것을 뭐라고 하나요?

희 망 현 미 움
송 호 지 우 사
행 복 공 랑 질
한 수 부 채 병
양 치 질 투 원
PANDORA

신과 함께 어울려 살아가던 인간은

신을 우러러보며 늘 존경했어요.

하지만 신을 우습게 여기며 함부로 대하는 인간도 있었어요.

그들은 신의 말은 어기고 도전하며 자신이 신이 되려고까지 했어요.

신들은 그런 인간들을 보고만 있지 않았어요.

그들은 인간에게 어떤 벌을 내렸을까요?

신을 섬기는 자와 신을 무시한 자들의 이야기를 들어보세요.

인간과 함께한 신들

신에게 저주를 받은 인간들

늑대가 된 리카온

아르카디아 지방에 리카온이라는 무서운 왕이 살았어요. 그는 사람들을 때리고 괴롭혔고 목숨도 하찮게 여겼어요. 리카온은 모두가 자신을 무서워하자 콧대가 높아져 제우스마저 우습게 보았어요. 리카온은 자신이 제우스보다 훨씬 강하며 얼마든지 이길 수 있다고 잘난 척했어요. 이 소문을 들은 제우스가 리카온을 찾아왔어요.

리카온은 제우스를 자신의 궁전으로 초대했어요. 그는 근사한 식사를 대접하겠다며 식탁 위에 사람 시체를 올려놓았어요. 리카온은 자신이 무섭고 힘이 세다는 것을 제우스에게 보여 주려고 끔찍한 짓을 저지른 거예요. 제우스는 화가 머리끝까지 나서 궁전에 불벼락을 내렸어요.

궁전이 불길로 활활 타올라 무너지기 시작하자 리카온은 겁에 질렸어요. 제우스는 허둥지둥 도망치는 리카온에게 저주를 내렸어요. 곧 리카온의 몸에 시커먼 털이 뒤덮였고 어느새 네 발로 뛰고 있었어요. 리카온은 늑대가 되었어요.

농부들이 개구리가 되었어요

여신 레토가 아폴론과 아르테미스를 임신했을 때의 일이에요. 그녀는 아기 낳을 곳을 찾았지만 그 어디에도 도와줄 이가 없었어요. 헤라가 신들에게 레토를 도와주지 말라고 했거든요. 레토는 며칠째 걷다가 리키아라는 마을에 도착했어요. 너무나 지치고 목이 말랐던 레토는 연못을 발견하고 얼굴이 환해졌어요. 시원한 물을 마시면 기운이 날 것 같았지요.

하지만 레토는 물을 마시지 못했어요. 그 마을 농부들이 연못을 막아섰기 때문이에요. 레토가 애원했지만 농부들은 당장 마을을 떠나라며 협박했어요. 심지어 레토가 물을 못 마시게 하려고 연못에 발을 넣어 흙탕물로 만들었어요. 화가 난 레토가 농부들에게 "너희는 평생 이 연못을 떠나지 못할 것이다."라고 저주를 내렸어요. 그러자 농부들이 초록 등에 하얀 배를 가진 개구리가 되고 말았어요. 그들은 레토의 말대로 연못에서 한 발자국도 움직이지 못했어요.

꽃을 함부로 꺾지 마세요

드리오페는 다정한 남편과 사랑스런 아기와 사는 평범한 여자예요. 어느 날, 드리오페가 아기를 안고 동생 이올레와 함께 강둑을 걷고 있었어요. 강둑에 붉은 꽃이 흐드러지게 피어 있었어요. 드리오페는 그 꽃이 너무나 탐스러워 보였어요. 그래서 한 송이를 뚝 꺾어 아기에게 건네주었지요. 그때 이올레는 언니가 딴 꽃을 보고 화들짝 놀랐어요. 꽃줄기에서 피가 흘렀기 때문이에요. 사실 그 꽃은 로티스 여신이 쫓아오는 남자를 피하기 위해 변신한 모습이었어요.

드리오페는 여신을 다치게 한 죄로 저주를 받았어요. 다리에서 돋아난 뿌리는 땅에 달라붙고, 온몸이 딱딱한 나무껍질로 덮이고, 팔에는 나뭇잎이 자라났어요. 드리오페는 포플러 나무가 되어 버렸어요. 이올레가 급히 드리오페의 남편을 불러왔어요. 남편이 아기를 안고 오자, 입술만 남아 있던 드리오페가 슬픈 목소리로 "꽃을 함부로 꺾지 마세요."라고 했어요. 말을 마친 드리오페의 입술도 곧 흔적 없이 사라졌어요.

신에게 도전한 인간들

아테나와 아라크네

아라크네는 아테네에서 가장 손재주가 뛰어났어요. 아라크네가 수를 놓으면 마치 살아 움직이는 것처럼 보였지요. 모두들 아라크네의 실력을 칭찬했어요. 아라크네도 자신의 실력이 자랑스러웠지요. 아라크네는 사람들이 아테나 여신에게 수를 배웠냐고 물어보면 콧방귀를 뀌었어요. 자신이 아테나보다 훨씬 실력이 뛰어나다고 생각했기 때문이에요. 아라크네는 자신의 실력을 증명해 보이기 위해 아테나와 솜씨를 겨뤄보고 싶다고 큰소리쳤어요.

아테나는 할머니로 변신해 아라크네를 찾아가 여신과 경쟁할 생각 말고 용서를 빌라고 경고했어요. 하지만 아라크네의 마음은 변하지 않았어요. 심지어 자기가 지면 어떤 벌이든 받겠다고 말했지요. 결국 아테나는 아라크네와 수놓기를 겨루기로 했어요. 아테나는 위대한 신들이 예의 없는 인간들을 벌하는 모습을 수놓았고, 아라크네는 신들의 실수나 창피한 일들을 수놓았어요. 마침내 대결이 끝났어요. 아라크네는 실력이 뛰어났지만 아테나를 이길 수 없었어요. 아라크네는 거미로 변하는 벌을 받았어요. 그 뒤, 사람들은 거미줄을 치는 거미를 볼 때마다 아라크네를 떠올렸어요.

신에게 잘난 체를 한 니오베

니오베는 테베 왕국의 왕비예요. 니오베는 스스로를 '행복한 니오베'라고 불렀어요. 훌륭한 집안에서 태어난 것, 왕과 결혼하여 왕비가 된 것, 얼굴이 무척 아름답다는 것 등 자랑할 게 많았어요. 그중에서도 가장 자랑스러운 것은 아이가 많다는 점이었지요. 니오베에게는 일곱 명의 아들과 일곱 명의 딸이 있었어요. 니오베는 근사하고 아름답게 자라나는 아이들을 맘껏 뽐내며 자신이 세상에서 가장 행복한 어머니라고 생각했어요.

테베 왕국에서는 매년 레토 여신을 기리는 축제가 열렸어요. 니오베는 사람들이 레토를 떠받드는 게 불만이었어요. 그래서 자신이 레토보다 자식도 많고 훌륭한 어머니라고 주장했어요. 화가 난 레토가 아폴론과 아르테미스에게 니오베를 혼내 주라고 했어요. 마침 니오베의 일곱 아들이 전쟁놀이를 하고 있었어요. 아폴론과 아르테미스는 화살을 쏘아 그들을 모두 쓰러뜨렸어요. 하지만 니오베는 뉘우치지 않고 일곱 딸이 남았다고 외쳤어요. 그 말이 끝나자마자 화살이 날아들어 일곱 딸도 모두 죽고 말았어요. 니오베는 슬픔을 이기지 못해 온몸이 딱딱하게 굳더니 돌로 변해 버렸어요.

황소 아들을 둔 미노스 왕

크레타 섬의 왕 미노스에게는 고민이 있었어요. 굶주린 백성을 배불리 먹이고 싶었지만 농사를 빠르고 편하게 짓는 방법을 몰랐어요. 미노스는 바다의 신 포세이돈에게 기도를 했어요. 기도에 감동한 포세이돈은 농사를 도와줄 황소 한 마리를 보내 주었어요. 황소를 얻은 크레타 섬은 풍요로워졌고, 미노스는 백성들에게 큰 존경을 받았어요.

그런데 얼마 뒤, 포세이돈은 자신의 황소를 돌려받고 싶었어요. 하지만 미노스는 황소를 갖고 싶어서 모르는 척했어요. 포세이돈은 화가 나서 폭풍을 일으켜 크레타 섬을 삼켜 버릴까 하다가, 더 큰 저주를 내리기로 했어요.

포세이돈은 왕비에게 저주를 걸어 황소를 사랑하게 만들었어요. 열 달 뒤, 왕비가 아기를 낳았는데 얼굴은 황소이고 몸은 남자였어요. 저주 때문에 끔찍한 괴물이 태어난 거예요. 미노스는 아기를 버리고 싶었지만 포세이돈이 무서워 그러지 못했어요. 미노스는 괴물 아들에게 '미노타우로스'라는 이름을 지어 주고, 아무도 볼 수 없게 미로 속에 가두어 버렸어요.

태양까지 날아오른 이카로스

다이달로스는 그리스 최고의 발명가예요. 미노스는 그에게 미노타우로스를 숨길 수 있는 미로를 만들라고 했어요. 그런데 다이달로스가 복잡한 미로를 다 만들자, 미노스가 그를 보내 주지 않았어요. 다이달로스가 미노스의 아들이 괴물이라고 소문을 낼까 봐 두려웠기 때문이지요. 미노스는 다이달로스와 그의 아들 이카로스를 높은 철탑에 가두어 버렸어요. 다이달로스는 고민 끝에 날개를 만들어 철탑에서 도망치기로 결심했어요.

드디어 커다란 날개가 완성되었어요.
다이달로스는 이카로스에게 절대 태양 가까이로 가면 안 된다고 주의를 주었어요. 인간이 나는 것을 보면 신들이 싫어할 게 뻔했거든요.
그러나 이카로스는 막상 날아오르자, 아버지의 말을 까맣게 잊었어요.
점점 더 높이 올라가 태양에 닿고 싶었지요. 힘차게 올라가 마침내 태양에 닿으려던 순간, 이카로스는 바다로 떨어지고 말았어요. 뜨거운 태양에 날개가 모두 녹아 버렸기 때문이에요. 이카로스는 하늘을 날았던 죄로 다시는 바다 위로 떠오르지 못했어요.

날개 달린 말을 타고 싶은 벨레로폰

어느 날, 벨레로폰이 아테나 신전에서 소원을 간절히 빌었어요.

"날개 달린 말 페가수스를 타 보게 해 주세요."

아테나는 그 모습이 하도 간절해 보여 페가수스를 길들이는 황금고삐를 내주었어요. 벨레로폰의 소원이 마침내 이루어진 거예요. 벨레로폰은 페가수스를 타고 다니면서 세상의 무시무시한 괴물을 물리쳤어요. 사람들은 영웅이 된 벨레로폰을 왕으로 세웠어요. 벨레로폰은 점점 어깨가 으쓱해져 자신이 제우스보다 대단하다고 생각했어요. 벨레로폰은 페가수스를 타고 신들이 사는 올림포스 궁전으로 들어가려고까지 했어요. 그때 제우스가 벨레로폰을 땅으로 떨어뜨리고 페가수스도 빼앗아 버렸어요. 그 뒤, 벨레로폰은 죽을 때까지 세상을 떠돌며 살아야 했지요.

제우스보다 대단한 나!
이제 올림포스 궁전으로
간다!
우리의 왕,
벨레로폰 만세!
와~
너무 멋있다!

미다스 왕 귀는 당나귀 귀

미다스는 왕이었지만 화려한 궁전이 아니라 조용한 시골에서 살았어요. 그는 들판의 신, 판을 존경하며 따랐지요. 어느 날, 판과 아폴론이 리라 연주 대결을 벌였어요. 세상 모든 왕이 심판으로 초대되었지요. 연주는 둘 다 훌륭했지만 대결의 승자는 아폴론이었어요. 하지만 미다스는 판의 연주가 더 좋다고 끝까지 주장했지요. 아폴론은 연주를 제대로 듣지 못하는 미다스에게 벌을 주기로 했어요. 미다스의 귀가 갑자기 늘어나기 시작했어요. 축 늘어진 귓불이 꼼지락꼼지락 움직였지요. 그러더니 굵은 털이 숭숭 돋아나면서 당나귀 귀가 되고 말았어요. 미다스는 창피해서 귀를 수건으로 가리고 다녔어요. 하지만 머리를 깎아 주던 이발사가 그 비밀을 알아 버렸어요.

이발사는 비밀을 절대 말하지 않겠다고 맹세했지만 말하고 싶어서 견딜 수 없었어요. 그래서 남몰래 갈대밭으로 가 "미다스 왕 귀는 당나귀 귀." 라고 외쳤어요. 그 뒤, 바람이 불 때마다 갈대밭에서 '미다스 왕 귀는 당나귀 귀'라는 소리가 들려왔어요.

무엇이든지 황금으로 만드는 손

'미다스의 손'이라는 말을 들어 봤나요? '미다스의 손'은 하는 일마다 크게 성공해서 큰 이익을 얻는 능력을 말해요. 시골에 사는 미다스가 어쩌다 이 말의 주인공이 되었을까요? 미다스는 처음부터 시골에 산 게 아니에요. 화려한 궁전에서 살고 있었지요. 어느 날, 미다스는 길 잃은 노인을 만났는데, 그를 정성껏 돌봐주었어요. 그 노인은 디오니소스의 스승이었어요. 디오니소스는 스승을 보살펴 준 감사의 뜻으로 소원을 말해 보라고 했어요. 미다스는 손대는 모든 것이 황금으로 변하게 해 달라고 말했어요.

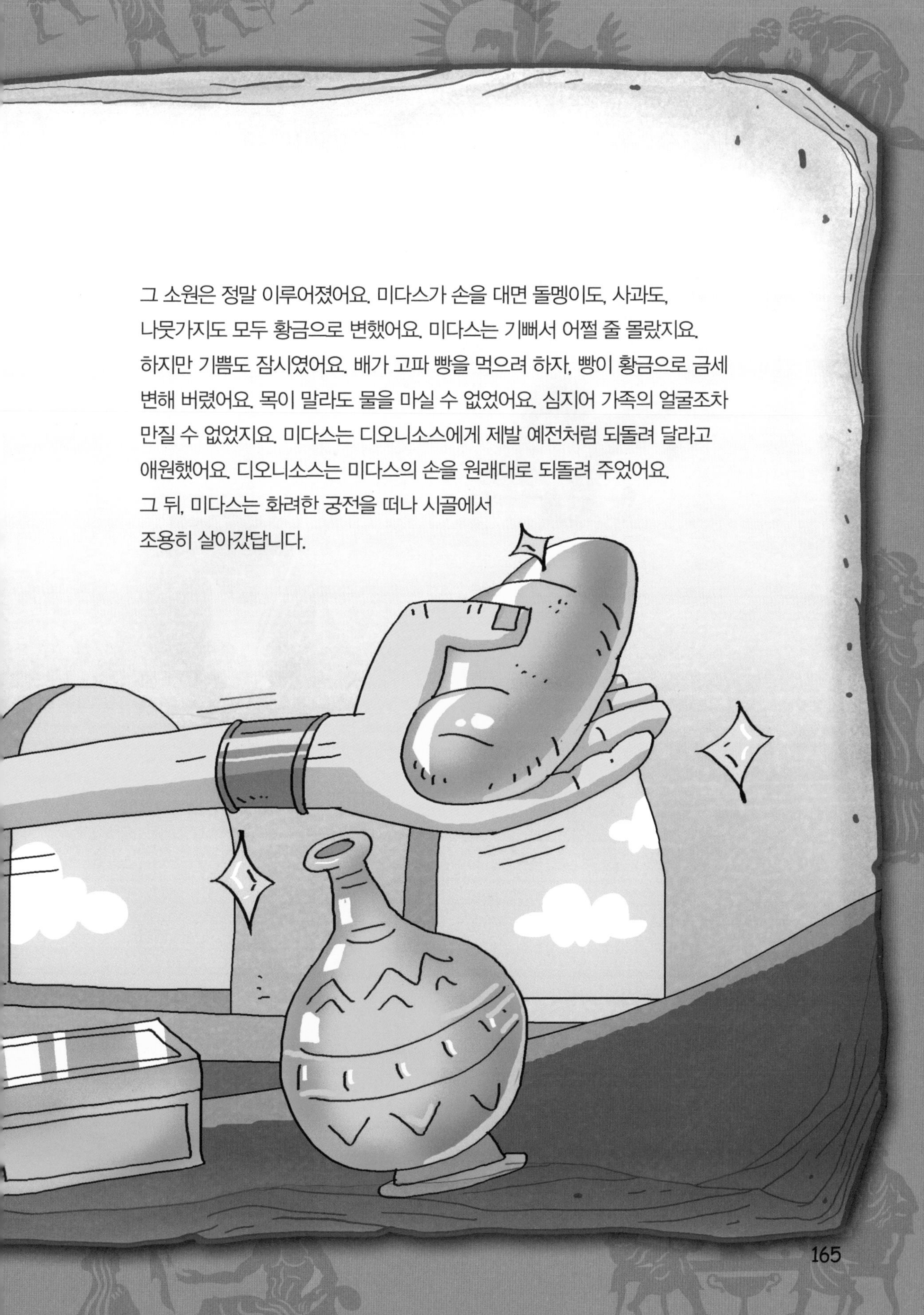

그 소원은 정말 이루어졌어요. 미다스가 손을 대면 돌멩이도, 사과도, 나뭇가지도 모두 황금으로 변했어요. 미다스는 기뻐서 어쩔 줄 몰랐지요. 하지만 기쁨도 잠시였어요. 배가 고파 빵을 먹으려 하자, 빵이 황금으로 금세 변해 버렸어요. 목이 말라도 물을 마실 수 없었어요. 심지어 가족의 얼굴조차 만질 수 없었지요. 미다스는 디오니소스에게 제발 예전처럼 되돌려 달라고 애원했어요. 디오니소스는 미다스의 손을 원래대로 되돌려 주었어요. 그 뒤, 미다스는 화려한 궁전을 떠나 시골에서 조용히 살아갔답니다.

신에게 미움을 받은 시시포스

시시포스는 머리가 뛰어난 왕이에요

시시포스는 코린토스 왕국의 왕이에요. 그는 뛰어난 머리로 남을 잘 속였어요. 게다가 욕심도 많아 죄 없는 사람을 죽이고 재산을 가로채기도 했어요. 그런 시시포스에게 걱정이 하나 있었어요. 왕국의 소들이 자꾸 사라지는 것이었어요. 그는 자신의 소중한 재산을 훔치는 자는 누구라도 용서할 수 없었어요. 시시포스는 헤르메스의 아들 아우톨리코스가 의심스러웠어요.

아우톨리코스는 물건의 색이나 모양을 마음대로 바꾸는 능력이 있었어요. 그래서 물건을 훔친 뒤, 색이나 모양을 바꿔 제 것으로 만들었지요. 시시포스는 소의 모양과 색이 바뀌더라도 단번에 알아볼 수 있도록 꾀를 냈어요. 바로 소 발굽에 '아우톨리코스가 훔친 소'라는 글씨를 써 둔 거예요. 얼마 뒤, 다시 소가 없어지자 시시포스는 아우톨리코스를 찾아갔어요. 이미 소의 색과 모양을 바꿔 놓은 아우톨리코스는 시치미를 뚝 뗐어요. 하지만 시시포스가 소 발굽을 들어 올리자 거짓말이 들통났지요. 시시포스는 도둑맞은 소를 전부 되찾았답니다.

죽음의 신도 깜빡 속아 넘겼어요

어느 날, 시시포스가 강의 신 아소포스의 딸이 제우스와 섬으로 달아나는 걸 보았어요. 제우스가 헤라의 눈을 피해 다른 여자를 만나려는 게 분명했지요. 평소 아소포스가 다스리던 강이 탐났던 시시포스는 꾀를 냈어요. 그는 당장 아소포스에게 가서 딸이 어디로 사라진지 알고 싶으면 강을 나눠 달라고 했지요. 아소포스는 강을 나눠 주고 딸을 찾았답니다. 제우스는 훼방을 놓은 시시포스가 얄미웠어요. 그래서 죽음의 신 하데스를 불러 당장 저승으로 데려가라고 명령했지요.

제우스의 명령을 받은 하데스가 시시포스의 궁전으로 갔어요. 제아무리 똑똑한 시시포스라 해도 죽음의 신을 만나자 무서웠어요. 하지만 또다시 꾀를 냈어요. 시시포스는 저승으로 가기 전 마지막으로 밥을 먹게 해 달라고 했어요. 마침 배가 고팠던 하데스도 시시포스와 함께 밥을 먹었어요. 시시포스는 술을 잔뜩 가져와 하데스에게 계속 따라 주었어요. 시시포스는 하데스가 술에 취해 잠이 들자, 그를 쇠사슬로 꽁꽁 묶어 버렸지요. 이렇게 해서 시시포스는 저승으로 끌려가지 않았어요. 하데스는 전쟁의 신 아레스의 도움으로 간신히 풀려났답니다.

저승에서 다시 살아 돌아왔어요

제우스는 하데스가 실패했다는 소식에 몹시 실망했어요. 그래서 이번에는 전령의 신 헤르메스를 보냈어요. 헤르메스라면 절대 시시포스에게 속지 않을 거라 생각했지요. 하지만 눈치 빠른 시시포스는 이미 모든 것을 알고 있었어요. 그는 왕비를 불러 만약 자신이 죽거든 절대로 장례식을 하지 말라고 했어요. 또 죽은 사람의 입속에 넣는 동전도 넣으면 안 된다고 했지요. 동전은 죽은 사람이 저승에 갈 때 타고 가는 배의 요금이에요. 왕비는 그의 말대로 시시포스가 죽은 뒤 장례식도 하지 않고 입속에 동전도 넣지 않았어요.

헤르메스는 시시포스를 데리고 저승 문 앞까지 갔어요. 하지만 동전이 없어서 배를 타지 못했지요. 하데스는 많은 재산을 가진 시시포스가 동전이 없어서 배를 타지 못했다는 말을 듣고 기가 막혔어요. 게다가 왕비가 장례식도 해 주지 않았다는 사실도 알게 되었어요. 하데스는 시시포스를 다시 인간 세상으로 돌려보내 주었어요.

"어서 돌아가 장례도 안 치른 왕비를 혼내 주거라."

하데스가 시시포스의 속임수에 또 걸려들고 만 거예요.

이렇게 저승에서 돌아온 시시포스는 제 목숨이 다할 때까지 살았답니다.

그러게 착하게
살았어야지!
산꼭대기로 아무리
밀어 올려도 다시
떨어지니 정말
힘들어 죽겠다.
끄~응!
바들
바들

영원한 벌을 받게 되었어요

신들도 못 이길 정도로 꾀가 많은 시시포스였지만 주어진 목숨을 더 늘릴 수는 없었어요. 때가 되자 그도 죽게 되었지요. 인간 세상에서 삶을 마친 시시포스가 저승으로 갔어요. 그리고 하데스 앞에 무릎을 꿇었어요. 시시포스가 인간 세상에서 지었던 죄들이 속속 밝혀졌어요. 그는 죄가 너무 많아 지옥으로 가야 했지요. 하데스는 자신을 몇 번이나 골탕 먹인 시시포스가 괘씸해 지옥보다 더 무서운 벌을 주고 싶었어요.

하데스와 헤르메스뿐 아니라, 신들의 왕 제우스까지 놀리고 속인 죄는 엄청나게 무거웠어요. 시시포스는 집채만 한 돌을 산꼭대기로 밀어 올리는 벌을 받았어요. 무거운 돌을 간신히 산꼭대기에 올리면 허무하게도 금세 돌이 굴러떨어졌어요. 그러면 처음부터 다시 돌을 굴리면서 올라가야 했어요. 시시포스는 이렇게 힘들고 지루한 벌을 영원히 받게 되었어요. 시시포스의 돌은 자신의 욕심과 남을 속인 죄의 크기와 같았어요. 지금까지도 시시포스는 지옥에서 돌을 굴리며 자신의 죄를 반성하고 있을 거예요.

신에게 도움을 받은 인간들

바우키스와 필레몬

제우스는 때때로 변신을 하고 인간 세상에 내려갔어요. 인간들이 어떻게 살고 있는지 직접 살펴보기 위해서였죠. 남을 도우며 성실하게 사는 사람에겐 상을 주고, 법을 어기거나 죄를 짓는 사람에게는 벌을 주었지요.

어느 날, 제우스가 나그네로 변신하고 한 마을을 찾아갔어요. 갈 곳 없는 나그네니 하룻밤만 재워 달라고 부탁하며 이 집 저 집 문을 두드렸어요. 하지만 마을 사람들은 모두 제우스를 무시하고 문을 쾅 닫아 버렸어요.

제우스는 마지막으로 마을에서 가장 가난한 집을 찾아갔어요. 바우키스 할머니와 필레몬 할아버지는 제우스를 따뜻하게 맞아 주었어요. 음식도 나누어 주었지요. 제우스는 그들의 모습에 큰 감동을 받았어요. 그래서 마을 사람들에게 벌을 주더라도 그들만은 구해 주기로 결심했지요.

제우스가 지팡이를 흔들자 마을에 큰 홍수가 났어요. 폭풍우가 휘몰아쳐 모든 집이 물에 잠겼어요. 하지만 바우키스와 필레몬의 집만 무사했어요. 초라하던 부부의 집은 웅장한 신전으로 변했고요. 불쌍한 나그네에게 친절했던 바우키스와 필레몬은 신전에서 행복하게 살았답니다.

아버지,
이 개미들처럼
저에게도 백성이 많으면
얼마나 좋을까요?
훌쩍

아이아코스 왕의 백성이 된 개미 떼

평화롭던 아이기나 왕국에 큰일이 닥쳤어요. 무서운 전염병이 퍼지고 수천 마리의 뱀이 나타나 우물과 샘에 독을 뿜어 댔어요. 백성들은 전염병과 뱀독 때문에 모두 죽고 말았어요. 왕국은 사람 하나 없이 텅 비어 버렸어요. 이 끔찍한 일을 일으킨 범인은 바로 헤라였어요. 아이기나가 제우스의 애인 이름을 딴 왕국이었기 때문이에요. 아이기나 왕국의 왕은 제우스의 아들인 아이아코스였어요. 하루아침에 백성을 모두 잃은 아이아코스는 절망에 빠졌어요. 그저 아버지인 제우스에게 기도를 하는 것밖에 할 게 없었지요. 아이아코스는 참나무에 기대어 눈물을 흘렸어요.

그때 나무에서 수많은 개미가 줄지어 가는 것을 보았어요. 왕국에 남아 있는 생물이라고는 개미 떼뿐이었어요. 아이아코스는 "저 개미처럼 백성이 많다면 얼마나 좋을까?" 하고 중얼거렸어요. 그러자 개미들이 점점 커지더니 인간으로 변했지요. 제우스의 도움으로 왕국은 다시 사람들로 가득 찼어요. 이들을 '미르미돈'이라고 불렀어요. 옛날 그리스 말로 '개미'라는 뜻이지요.

왕뱀의 이빨로 도시를 세운 카드모스

카드모스는 페니키아 왕국의 왕자예요. 어느 날, 조용하던 왕국이 발칵 뒤집혔어요. 제우스가 공주 에우로페를 데리고 도망쳤기 때문이에요. 왕은 카드모스에게 당장 여동생을 찾아오라고 명령했어요. 그 전에는 절대 돌아오지 말라고 했지요. 카드모스가 에우로페를 찾아 몇 년을 헤맸지만 찾지 못했어요. 왕국으로 돌아갈 수도, 살아갈 곳도 없었지요. 태양의 신 아폴론은 카드모스가 불쌍했어요. 그래서 "들판에 있는 암소를 따라가다가, 그 소가 눕는 곳에 도시를 세워라." 하고 말했어요.

카드모스는 아폴론의 말대로 암소를 따라 어느 마을에 도착했어요.
그 마을 동굴에는 무서운 왕뱀이 살고 있었지요. 왕뱀은 깨끗한 샘물을 차지하고, 물을 길으러 온 카드모스의 부하들을 모두 죽였어요.
화가 난 카드모스가 직접 창을 들고 왕뱀을 공격해 죽였어요. 하지만 함께 도시를 세울 부하가 한 명도 없었어요. 그때 아폴론이 카드모스에게 다시 조언해 주었어요.
"왕뱀 이빨을 뽑아 땅에 뿌려라."
그 말을 따르자 왕뱀 이빨이 흙과 섞여 튼튼한 군인으로 태어났어요.
카드모스는 그들과 함께 도시를 세웠어요. 그곳이 바로 '테베'랍니다.

이뷔코스의 두루미 떼

이뷔코스는 재주가 많은 사람이었어요. 리라 연주를 잘하고 시도 멋지게 지었어요. 음악의 신 아폴론이 그에게 재능을 선물했기 때문이에요.

어느 날, 이뷔코스가 코린토스에서 열리는 음악과 연극 축제에 가게 되었어요. 그런데 산속에서 강도를 만나 공격을 당했어요.

죽어 가는 이뷔코스 위로 두루미 떼가 빙글빙글 맴돌았어요. 이뷔코스는 "모든 걸 본 두루미들아, 내 억울함을 알려다오."라고 말하며 죽었어요.

코린토스의 축제에 모인 사람들은 이뷔코스의 죽음을 슬퍼했어요. 하지만 범인은 찾을 수 없었지요. 그때였어요! 두루미 떼가 너울너울 날아와 하늘을 덮었어요. 그러자 누군가 비명을 질렀어요.

"이뷔코스의 두루미 떼가 나타났다!"

사람들은 소리 지른 사람을 쳐다보았어요. 그 사람이 바로 이뷔코스를 죽인 강도였지요. 왜냐하면 두루미 떼를 본 사람은 이뷔코스와 강도뿐이었기 때문이에요. 사람들은 복수의 여신이 도와주었다고 생각하며 강도를 잡아 벌을 주었어요.

신화
놀이터
아테나는 수를 가장 잘 놓는 신으로
유명했어요. 여러분이 만약 아테나와 대결을
하게 된다면 어떤 무늬로 수를 놓고 싶은가요?
나만의 무늬를 멋지게 그려 보세요.

와!
대단하다~

정답

▼42~43쪽

▼80~81쪽

▼114~115쪽

▼142~143쪽

1 미움 2 질병 3 질투 4 복수 5 희망

〈그림으로 보는 그리스 로마 신화〉 시리즈는 모두 5권입니다.

- 1권 올림포스 시대
- 2권 신과 인간
- 3권 신들의 사랑 이야기
- 4권 영웅들의 이야기
- 5권 일리아스와 오디세이아